Collection
PROFIL PRATIQUE
dirigée par Georges Décote

Série
EXAMENS

POUR ÉTUDIER UN POÈME

FRANÇOISE NAYROLLES

Sommaire

© HATIER, PARIS, 1996   ISBN 978-2-218-**71418**-4

Pourquoi ce livre ?

Cet ouvrage *Pour étudier un poème* ne propose ni une méthode d'explication de texte poétique, ni une étude thématique, mais il offre au lecteur les connaissances préalables nécessaires à toute explication de poésie. Il lui permet de reconnaître, d'observer et d'apprécier une page de poésie dans toutes ses caractéristiques :

— la construction précise,
— la musique des rimes, des sonorités et du rythme,
— le tissu d'images,
— le langage particulier,
— la mise en forme : formes fixes et formes libres.

1 Savoir compter les syllabes dans un vers

1. Comment procéder ?

Un vers comporte un certain nombre de syllabes. La **syllabe** est un groupe formé de consonnes et de voyelles qui se prononcent d'une seule émission de voix.

« Paris » a deux syllabes : PA + RIS.

Pour repérer et comptabiliser les syllabes, on les sépare graphiquement à l'aide d'un tiret oblique : / ; cette opération se nomme : « scander un vers ».

Trem/blant/, pi/quant / des / deux/, du / cô/té / qui / des/cend.
1   2   3   4   5   6   7 8 9 10 11 12

Victor Hugo, *La légende des siècles.*

Pour scander un vers, il faut tenir compte des liaisons. La consonne finale d'un mot qui sert de liaison avec le mot suivant, fait partie de la syllabe du mot suivant.

De / long/s é/chos.
1   2   3   4

Le **s** final de l'adjectif « longs », servant de liaison entre l'adjectif et le nom qui suit, fait partie de la troisième syllabe.

On / cher/che / les / ci/tés / san/s en / voi/r un / seul / mur
1   2   3   4 5 6   7 8   9 10   11   12

Les / pas / lent/s et / tar/difs / de / l'hu/maine / Rai/son.
1   2   3 4   5 6   7   8 9 10 11 12

Alfred de Vigny, *Les Destinées.*

Le décompte des syllabes peut faire difficulté dans trois cas précis : le **e** muet, la diphtongue et l'hiatus.

2. Le problème du *e* muet

La première difficulté dans le décompte syllabique réside dans le statut du **e** dit muet, qui parfois est prononcé, donc compté comme une syllabe, et parfois ne l'est pas ; **é, è,** ou **ê**, ne constituent pas des **e** muets et comptent donc comme une syllabe.

On *doit* prononcer un **e** dit muet lorsqu'il est placé entre deux consonnes, en fin de mot, lorsque le mot suivant commence par une consonne ou par un **h** aspiré.

La / pour/pre / du / com/bat rui/sse/lle / de / ses / flancs.

Charles Leconte de Lisle, *Le cœur de Hialmar.*

N.B. : Pour savoir si un **h**, en début de mot, est muet ou aspiré, il faut placer devant le mot un article défini singulier ou pluriel. Dans le cas d'un **h** muet, il y a élision de l'article défini singulier (**l'**) ou liaison avec le mot suivant dans le cas de l'article défini pluriel.

Ex. : l'hiver, le/s hi/vers

l'habitude, le/s ha/bi/tudes.

Dans le cas d'un **h** aspiré, il n'y a ni élision de l'article défini singulier, ni liaison avec le mot suivant dans le cas de l'article défini pluriel.

Ex. : le héros, les / hé/ros

la haine, les / haines.

On *doit* également prononcer un **e** dit muet lorsqu'il est placé entre deux consonnes à l'intérieur d'un mot.

Je / veux / d'a/mour / fran/che/ment / de/vi/ser.

Joachim du Bellay, *Satire du pétrarquisme.*

Voi/ci / des / fruits/, des / fleurs/, des / feui/lle/s et / des / branches.

Paul Verlaine, *Romances sans paroles.*

En revanche, on *ne* prononce *pas* le **e** muet dans les autres cas :

- en fin de mot, lorsque le mot suivant débute par une voyelle ou un **h** muet.

  Et / ce/tte̸ ho/nnê/te / fla/mme̸ au / peu/ple / non / co/mmune.
   1   2   3   4 5   6   7   8   9   10 11   12

  Joachim du Bellay, *Les regrets.*

- à l'intérieur d'un mot, lorsqu'il est placé :
  - entre voyelle et consonne :

    Apollon et son fils, deux grands maîtres ensemble,

    Ne / me / sau/raie̸nt / gué/rir/, leur / mé/tier / m'a / trom/pé.
     1   2   3   4   5 6   7   8   9   10   11 12

    Pierre de Ronsard, « Je n'ai plus que les os ».

  - ou entre consonne et voyelle :

    Je / vais / m'a/sse̸oir / par/mi / les / Dieux / dans / le / so/leil.

    Charles Leconte de Lisle, *Poèmes barbares.*

Cas particulier : On ne prononce jamais le **e** muet en fin de vers : il forme alors la **rime féminine**.

Ex. : Soient les mots suivants placés en fin de vers :
      table̸ - table̸s - image̸ - pure̸s - crevette̸ -
      (ils) chante̸nt - (tu) parle̸s.

Le **e** muet final n'est jamais pris en compte et ne constitue pas une syllabe :

/table̸ /table̸s i/mage̸ /pure̸s /cre/vette̸ (ils)/chante̸nt
 1   1   1 2   1   1 2   1

(tu)/parle̸s
 1

Ain/si / tou/jours / pou/ssés / vers / de / nou/veaux / ri/vage̸s.
 1   2   3   4   5   6   7   8   9   10 11 12

Alphonse de Lamartine, « Le lac », *Méditations poétiques.*

Tableau récapitulatif

e muet	
prononcé consonne + e + consonne	**non prononcé** les autres cas
en fin de mot	
pour/pre̲ / du	e + voyelle⁻ : fla/mm̸e au/ e + h muet : ce/tt̸e ho/nnê/te
dans un mot	
fran/che̲/ment	voyelle + e + consonne : sauraie̸nt consonne + e + voyelle : ass̸eoir
	Cas particulier : en fin de vers, le **e** muet n'est jamais prononcé et constitue la **rime féminine**.

3. Le décompte des diphtongues

On appelle **diphtongue** la succession de deux voyelles. Ces deux voyelles peuvent être prononcées :

— d'une seule émission de voix et constituer ainsi une seule syllabe.

Ex. : /pied/
      1

— d'une double émission de voix et constituer ainsi deux syllabes.

Ex. : li/on
      1 2

La prononciation de ces deux voyelles en une seule syllabe se nomme **synérèse**. La prononciation de ces deux voyelles en deux syllabes se nomme **diérèse**.
Mais comment savoir si l'on doit prononcer deux voyelles successives en synérèse (en une seule syllabe) ou en diérèse (en deux syllabes) ?

Étant donné d'une part la difficulté des règles du décompte syllabique concernant la diérèse et la synérèse, et d'autre part les exceptions multiples quant à l'application de ces règles, le moyen qui apparaît comme étant le plus simple pour établir le décompte syllabique d'un vers comportant une diphtongue, est de **procéder par comparaison en se référant au décompte syllabique des vers voisins**.

> La fillette aux violettes
> Équivoque à l'œil cerné,
> Reste seule après la fête
> Et baise ses vieux bouquets !

Les vers 1 et 4 comportent chacun une diphtongue : « violettes » et « vieux » et font donc difficulté. Faut-il prononcer vio/lettes en 2 syllabes ou vi/o/lettes en 3 syllabes ?
        1   2   1 2 3
Faut-il prononcer / vieux / en 1 syllabe ou / vi/eux / en 2 syllabes ?
                      1   1 2
Pour résoudre ces problèmes, scandons d'abord les vers 2 et 3 qui ne présentent pas de difficulté :

> Équi/vo/que à / l'œil / cer/né,
> 1 2 3   4   5   6 7
>
> Res/te / seu/le a/près / la / fête.
> 1   2   3   4   5   6   7

Leur décompte syllabique nous apprend qu'ils comportent chacun 7 syllabes. Nous savons donc par déduction et par comparaison que les vers 1 et 4 comportent également 7 syllabes.

vers 1 :

> La / fi/lle/tte aux / vio /lettes
> 1   2 3 4   5

Si nous comptons la diphtongue **vio** en synérèse (1 syllabe), nous arrivons à 6 syllabes ; il nous manque donc 1 syllabe et nous savons ainsi que la diphtongue **vio** doit se prononcer en diérèse (2 syllabes) :

> vi/o
> 1 2
>
> La / fi/lle/tte aux / vi/o/lettes
> 1   2 3 4   5 6 7

8

vers 4 :

Et / bai/se / ses / vieux / bou/quets
1   2   3   4   5   6   7

Si nous comptons la diphtongue **vieux** en synérèse (1 syllabe), nous arrivons à 7 syllabes. Le compte des syllabes est juste, et nous savons ainsi que la diphtongue **vieux** doit se prononcer en synérèse (1 syllabe) : /vieux/
1

Et / bai/se / ses / vieux / bou/quets
1   2   3   4   5   6   7

D'une manière plus rigoureuse, le décompte syllabique concernant la diérèse et la synérèse obéit aux règles suivantes :
En principe, on traite en **synérèse** une diphtongue dans laquelle les deux voyelles proviennent :

— d'une voyelle latine unique.

Ex. : P E̲ D E S > /pied/
1

N O̲ C T E M > /nuit/
1

— de deux voyelles latines initialement séparées mais rapprochées au cours de l'évolution de la langue.

Ex. : L I̲ G A̲ R E > /lier/
1

En principe, on traite en **diérèse** une diphtongue dans laquelle les deux voyelles proviennent :
— de deux voyelles latines successives.

Ex. : N A T I̲ O̲ > na/ti/on
1 2 3

F U R I̲ O̲ S U S > fu/ri/eux
1 2 3

Si l'on ne connaît pas le latin, on peut toujours se référer au dictionnaire qui donne la racine latine du mot français !

Les / san/glots / longs
1   2   3   4

Des / vi/o/lons.
1   2 3 4   Paul Verlaine, *Poèmes saturniens.*

— vi/o/lons : diérèse car ce mot vient de l'ancien pro-
vençal vi/o/la, où sont présentes les deux voyelles
successives.

Du / doigt / que / sans / le / vieux / san/tal.
 1   2   3   4   5   6   7   8

Stéphane Mallarmé, « Sainte ».

Par/-de/ssus / les / bui/ssons / nés / pen/dant / leur / so/mmeil.
 1   2   3   4   5   6   7   8   9   10   11   12

Alfred de Vigny, « La maison du berger ».

— vieux   synérèse car   < V E T U S / 1 seule syllabe
— buissons   < B U X U S \ latine

Tableau récapitulatif

Diphtongue	
Synérèse	**Diérèse**
2 voyelles < 1 voyelle latine /pied/ < P E D E S < 2 voyelles latines séparées /lier/ < L I G A R E	2 voyelles < 2 voyelles latines successives fu/ri/eux < F U R I O S U S
Pour connaître l'origine latine d'un mot, se référer au dictionnaire.	

En dépit de l'existence de ces règles, la fréquence de
l'usage tend à faire prononcer en synérèse :
— Les mots familiers.

/Oui/, je viens en son temple adorer l'Éternel.
 1

Jean Racine, *Athalie*, I, 1.

— Les désinences en « -ions » et « -iez ».

Nous sem/blion/s entre les maisons
 1

Onde ouverte de la Mer Rouge   Guillaume Apollinaire.

— Le suffixe « -ien ».

Oubliez-vous déjà que vous êtes chré/tien/ ?
 1   Pierre Corneille.

Toutefois, le traitement de la diphtongue en synérèse ou en diérèse révèle des contradictions telles qu'elles rendent fragile toute tentative de classement.

Ex. : Boileau oppose à la rime sur un même suffixe une diérèse et une synérèse :

Car, grâce au droit reçu chez les Pari/si/ens,
                                 1 2

Gens de douce nature et maris bons chré/tiens.
                                     - 1

4. La question du hiatus

L'hiatus est la rencontre heurtée de deux voyelles autres que le **e** muet.

Soit à l'intérieur d'un mot, tel dans « o/a/sis » :
                                       1 2

Dieu, pour vous reposer, dans le désert du temps,

Co/mme / de/s o/a/sis / a / mis / les / ci/me/tières.
1   2   3 4 5 6   7   8   9   10 11 12

Théophile Gautier, « La caravane ».

Soit entre deux mots, dans « j'ai / é/té », par exemple :
                                 1   2

Et / j'ai / é/té / re/çu / par / l'au/be / re/ssem/blante
1   2   3 4   5 6   7   8 9   10 11   12

Paul Éluard, « Le grand voyage ».

On prononce les deux voyelles constituant l'hiatus et **chaque voyelle compte pour une syllabe.**
Alors que la poésie médiévale était tolérante, Malherbe et le classicisme proscrivent absolument l'hiatus, ne l'acceptant qu'à l'intérieur d'un mot ou lorsqu'il est comme estompé par un **e** muet intervocalique.

Troie expira sous vous.

Jean Racine.

Briser le tabou de l'hiatus fut une des grandes audaces de la poésie romantique. La poésie moderne a peu à peu recouvré le droit à l'hiatus.

Il y a aussi un vieux buffet.

Francis Jammes.

Exercices

[Corrigé p. 71]

1. *Dans les alexandrins suivants, barrez les **e** muets qui ne se prononcent pas et soulignez ceux qui comptent pour une syllabe :*

Les ajoncs éclatants, parure du granit,
Dorent l'âpre sommet que le couchant allume.
Au loin, brillante encor par sa barre d'écume,
La mer sans fin commence où la terre finit.

5   A mes pieds, c'est la nuit, le silence. Le nid
Se tait, l'homme est rentré sous le chaume qui fume.
Seul, l'Angélus du soir, ébranlé dans la brume,
A la vaste rumeur de l'Océan s'unit.

José Maria de Heredia, *Les Trophées.*

2. *Scandez les alexandrins suivants (c'est-à-dire séparez les syllabes par un tiret oblique) en repérant auparavant les éventuels **e** muets, diérèses ou synérèses :*

Il fera longtemps clair ce soir, les jours allongent.
La rumeur du jour vif se disperse et s'enfuit,
Et les arbres, surpris de ne pas voir la nuit,
Demeurent éveillés dans le soir blanc et songent.

Anna de Noailles, *Le cœur innombrable.*

3. *Même exercice à partir des octosyllabes suivants :*

Et puis viendra l'hiver osseux,
Le maigre hiver expiatoire,
Où les gens sont plus malchanceux
Que les âmes en purgatoire.

Émile Verhaeren, *Toute la Flandre.*

4. *Composez quatre alexandrins qui se termineront par les rimes suivantes :*

— ombre,   — troupeaux,   — sombre,   — repos.

Vous pourrez comparer votre quatrain avec quatre vers du poème de Leconte de Lisle, « Midi ».

12

Les différents vers 2
français

1. La dénomination des vers

La poésie française comporte un certain nombre de vers
différents parmi lesquels des vers de :

Une syllabe ou **monosyllabes** :

> On voit des commis
>
> /Mis/
>
> Comme des princes.   Victor Hugo.

Deux syllabes ou **dissyllabes** :

> C'était dans la nuit brune
>
> Sur le clocher jauni
>
> /La / lune
>
> Comme un point sur un i.
>
> Alfred de Musset, « Ballade à la lune », *Contes d'Espagne et d'Italie.*

Trois syllabes ou **trisyllabes** :

> Je me souviens
>
> Des jours anciens
>
> Et / je / pleure.
>
> Paul Verlaine, « Chanson d'automne », *Poèmes saturniens.*

Quatre syllabes ou **quadrisyllabes** :

> Dans / l'her/be / noire
>
> Les / ko/bolds / vont.   Paul Verlaine, *Romances sans paroles.*

Cinq syllabes ou **pentasyllabes** :

> U/ne au/be a/ffai/blie
>
> Ver/se / par / les / champs
>
> La / mé/lan/co/lie
>
> Des / so/leils / cou/chants.   Paul Verlaine, *Poèmes saturniens.*

Pourquoi ces vers courts ?

Les verts courts sont utilisés pour des effets particuliers (frapper l'attention du lecteur) ou dans des poèmes faisant alterner des vers différents. Ils peuvent servir à :

— mettre en relief un élément :

> Il dissipe le jour
>
> Il montre aux hommes les images déliées
>
> de / l'a/ppa/rence
> 1   2   3   4   Paul Éluard, *Capitale de la douleur.*

— créer un effet de surprise :

> Même il m'est arrivé quelquefois de manger
>
> Le / ber/ger.
> 1   2   3
>
>   Jean de La Fontaine, *Fables*, « Le loup et l'agneau ».

— traduire la fantaisie et la légèreté de la chanson :

> Po/è/te et / té/nor
> 1 2 3   4 5
>
> L'o/ri/fla/mme au / nord
> 1 2 3   4   5
>
> Je / chan/te / la / mort
> 1   2   3 4   5   Max Jacob, *Le Laboratoire central.*

— créer un effet de balancement :

> Le ciel est par-dessus le toit,
>
> Si / bleu/, si / calme !
> 1   2   3   4
>
> Un arbre, par-dessus le toit,
>
> Ber/ce / sa / palme.
> 1   2   3   4   Paul Verlaine, *Sagesse.*

Six syllabes ou hexasyllabes :

> Et rose elle a vécu ce que vivent les roses,
>
> L'es/pa/ce / d'un / ma/tin.
> 1 2 3   4   5 6 François de Malherbe, *Stances.*

L'hexasyllabe est ici mimétique de l'idée exprimée. La brièveté du vers traduit la brièveté de la vie.

Sept syllabes ou **heptasyllabes** :

> Le / pe/ti/t en/fan/t A/mour
> Cuei/llait / des / fleur/s à / l'en/tour.   Pierre de Ronsard, *Odes.*

Huit syllabes ou **octosyllabes** :

> Oh ! / que / j'ai/me / la / so/li/tude !   Saint-Amant.

Neuf syllabes ou **ennéasyllabes** :

> Que / ton / vers / soit / la / bo/nne a/ven/ture
> É/par/se au / vent / cris/pé / du / ma/tin.
>
>   Paul Verlaine, *Art poétique.*

Dix syllabes ou **décasyllabes,** vers assez rares :

> Mais / je / te / veux / di/re u/ne / be/lle / fable,
> C'es/t à / sa/voir / du / li/on / et / du / rat.
>
>   Clément Marot, *Épîtres.*

Onze syllabes ou **hendécasyllabes** :

> Ce / soir/, je / m'é/tais / pen/ché / sur / ton / so/mmeil.
>
>   Paul Verlaine, *Jadis et naguère.*

Douze syllabes ou **alexandrins.**
Ce vers doit son nom au *Roman d'Alexandre*, poème du XIIe siècle où il était utilisé.

> Je / le / vis/, je / rou/gis/, je / pâ/li/s à / sa / vue,
> Un / trou/ble / s'é/le/va / dans / mon / â/me é/per/due.
>
>   Jean Racine, *Phèdre.*

Treize syllabes, vers très rare :

>   Je ne sais pourquoi
>   Mon esprit amer
> D'u/ne ai/le in/qui/è/te et / fo/lle / vo/le / sur / la / mer.
> 1   2   3   4 5 6   7 8   9 10   11   12   13
>
>   Paul Verlaine, *Sagesse.*

Seize, dix-huit, voire **vingt syllabes** :

> Ac/cé/lé/ron/s, a/ccé/lé/rons, c'est / la / sai/son / bien / co/nnue
> 1   2 3 4   5   6 7 8   9   10 11 12   13   14 15
>   [/ ce/tte / fois.
>   16 17   18
>
>   Jules Laforgue, *Derniers vers.*

2. Utilisation des divers types de vers selon les effets recherchés

Aucune règle ne limite le nombre de syllabes que peut comporter un vers français. Cependant, il est clair que les vers très longs restent rares. Depuis le XVIe siècle, les vers les plus fréquents sont les **vers pairs**, parmi lesquels surtout l'alexandrin et l'octosyllabe. Les **vers impairs** sont moins fréquents ; peu utilisés au XVIIe siècle, ils ont tenté les poètes de la fin du XIXe siècle. Verlaine prône dans son *Art poétique* :

> De la musique avant toute chose
>
> Et pour cela préfère l'Impair,
>
> Plus vague et plus soluble dans l'air,
>
> Sans rien en lui qui pèse ou qui pose.

Exercices

[Corrigé p. 72]

1. Trouvez le nom de chacun des vers suivants :

> Deux et deux quatre
>
> Quatre et quatre huit
>
> Huit et huit font seize
>
> Mais voilà l'oiseau-lyre
>
> 5 Qui passe dans le ciel
>
> L'enfant le voit
>
> L'enfant l'entend
>
> L'enfant l'appelle
>
> Sauve-moi
>
> 10 Joue avec moi
>
> Oiseau

Jacques Prévert, « Page d'écriture », in *Paroles*, Éd. Gallimard.

Si belles soyez-vous

Avec vos yeux de lacs et de lacs et de flammes

Avec vos yeux de pièges à loup

Avec vos yeux couleur de nuit de jour d'aube et de marjolaine

Robert Desnos, Bagatelles.

2. Dans les strophes suivantes, étudiez l'effet produit par l'utilisation des vers courts :

Tout à coup des accents inconnus à la terre

Du rivage charmé frappèrent les échos ;

Le flot fut attentif et la voix qui m'est chère

Laissa tomber ces mots :

5 O temps, suspends ton vol, et vous, heures propices,

   Suspendez votre cours !

Laissez-nous savourer les rapides délices

   Des plus beaux de nos jours.

Alphonse de Lamartine, « Le lac ».

Je viens voir à la brume

Sur le clocher jauni

   La lune

Comme un point sur un i.

Alfred de Musset, « Ballade à la lune ».

③ Les différents types de strophes

1. Définitions

Une strophe regroupe un ensemble de vers réunis selon une disposition particulière de rimes, dont l'organisation est souvent répétitive dans le poème.

Une **tirade** est une très longue strophe, qu'un personnage de théâtre prononce d'un seul trait.

Ex. : la tirade du « nez » dans *Cyrano de Bergerac* d'Edmond Rostand.

Une **stance** est une strophe dotée d'une unité de sens.

Ex. : Corneille : Stances de Rodrigue (I, 6) dans *Le Cid*.

Rodrigue exprime dans un monologue ses hésitations douloureuses. Il veut venger son père, Don Diègue. Mais peut-il tuer Don Gormas, le père de Chimène, celle qu'il aime ? Il se résout à n'écouter que son honneur.

Ex. : voici les deux premières strophes des Stances de Rodrigue, qui en comportent six.

Scène VI

DON RODRIGUE

Percé jusques au fond du cœur
D'une atteinte imprévue aussi bien que mortelle,
Misérable vengeur d'une juste querelle,
Et malheureux objet d'une injuste rigueur,
5   Je demeure immobile, et mon âme abattue
Cède au coup qui me tue.
Si près de voir mon feu récompensé,
O Dieu, l'étrange peine !
En cet affront mon père est l'offensé,
10   Et l'offenseur le père de Chimène !

Que je sens de rudes combats !
Contre mon propre honneur mon amour s'intéresse ;
Il faut venger un père, et perdre une maîtresse :
L'un m'anime le cœur. L'autre retient mon bras.
15 Réduit au triste choix ou de trahir ma flamme,
Ou de vivre en infâme,
Des deux côtés mon mal est infini.
O Dieu, l'étrange peine !
Faut-il laisser un affront impuni ?
20 Faut-il punir le père de Chimène ?

2. Isométrie et hétérométrie

Une strophe peut être composée de vers comportant chacun le même nombre de syllabes : on l'appelle alors **strophe isométrique** (du grec *isos* = égal).
Si la strophe est composée de vers ne comportant pas le
même nombre de syllabes, elle est alors **hétérométrique**
(du grec *heteros* = autre).

3. Structure géométrique

Il est une autre manière, presque géométrique, de quali-
fier les strophes isométriques. Elles peuvent être :

— carrées
— horizontales
— verticales.

Une strophe est dite **carrée** lorsque le nombre de vers de
la strophe est égal au nombre de syllabes par vers.

Ex. : 2 disyllabes
3 trisyllabes
4 quadrisyllabes, etc.

Plutôt des bouges

Que des maisons.

Quels horizons

De forges rouges !

Paul Verlaine, *Romances sans paroles.*

Une strophe est dite **horizontale** lorsque le nombre de vers de la strophe est inférieur au nombre de syllabes par vers.

Ex. : 4 décasyllabes.

Donne-moi tes mains pour l'inquiétude

Donne-moi tes mains dont j'ai tant rêvé

Dont j'ai tant rêvé dans ma solitude

Donne-moi tes mains pour que je sois sauvé

Louis Aragon, *Le Fou d'Elsa.*

Une strophe est dite **verticale** lorsque le nombre de vers de la strophe est supérieur au nombre de syllabes par vers.

Ex. : 8 disyllabes.

On doute

La nuit...

J'écoute :

Tout fuit.

Tout passe :

L'espace

Efface

Le bruit.

Victor Hugo, *Les Orientales.*

4. Dénomination des strophes

Certaines strophes portent un nom particulier en fonction du nombre de vers qu'elles comportent.

Il existe des poèmes composés d'un seul vers et appelés **monostiches**, mais ils sont très rares. Citons celui-ci, d'Apollinaire :

Et l'unique cordeau des trompettes marines

Une strophe de deux vers est appelée un **distique**.

Saisir, saisir le soir, la pomme et la statue,

Saisir l'ombre et le mur et le bout de la rue.

Jules Supervielle.

Une strophe de trois vers est appelée un **tercet**.

> Ils étaient quatre qui n'avaient plus de tête,
> Quatre à qui l'on avait coupé le cou,
> On les appelait les quatre sans cou.

Robert Desnos, Corps et biens.

Une strophe de quatre vers est appelée un **quatrain**.

> Bleus ou noirs, tous aimés, tous beaux,
> Des yeux sans nombre ont vu l'aurore ;
> Ils dorment au fond des tombeaux
> Et le soleil se lève encore.   Sully Prudhomme.

Une strophe de cinq vers est appelée un **quintil**.

> Dedans Paris, ville jolie,
> Un jour passant mélancolie,
> Je pris alliance nouvelle
> A la plus gaie demoiselle
> 5 Qui soit d'ici en Italie.   Clément Marot.

Une strophe de six vers est appelée un **sizain**.

> C'est l'extase langoureuse,
> C'est la fatigue amoureuse,
> C'est tous les frissons des bois
> Parmi l'étreinte des brises,
> 5 C'est vers les ramures grises,
> Le chœur des petites voix.

Paul Verlaine, Romances sans paroles.

Une strophe de sept   vers est appelée **septain**
        huit   "   "   "   **huitain**
        dix   "   "   "   **dizain**
        douze   "   "   "   **douzain**.

Attention : ne pas confondre l'appellation des vers et l'appellation des strophes.

Tableau récapitulatif

Vers		Strophes	
vers de 1 syllabe : monosyllabe		strophe de 1 vers : monostiche	
2	dissyllabe	2	distique
3	trisyllabe	3	tercet
4	quadrisyllabe	4	quatrain
5	pentasyllabe	5	quintil
6	hexasyllabe	6	sizain
7	heptasyllabe	7	septain
8	octosyllabe	8	huitain
10	décasyllabe	10	dizain
11	hendécasyllabe	11	
12	alexandrin	12	douzain

Exercice
[Corrigé p. 72]

Victor Hugo, « Les djinns », extrait des Orientales.
Les Djinns sont des divinités orientales plutôt malfaisantes, des génies du mal.

```
    Murs, ville,
    Et port,
    Asile
    De mort,
5   Mer grise
    Où brise
    La brise.
    Tout dort.

    Dans la plaine
10  Naît un bruit.
    C'est l'haleine
    De la nuit.
    Elle brame
    Comme une âme
15  Qu'une flamme
    Toujours suit.
```

La voix plus haute
Semble un grelot.
D'un nain qui saute
20 C'est le galop.
Il fuit, s'élance,
Puis en cadence
Sur un pied danse
Au bout d'un flot.

25 La rumeur approche,
L'écho la redit.
C'est comme la cloche
D'un couvent maudit,
Comme un bruit de foule
30 Qui tonne et qui roule,
Et tantôt s'écroule
Et tantôt grandit.

Dieu ! la voix sépulcrale
Des Djinns !... — Quel bruit ils font !
35 Fuyons sous la spirale
De l'escalier profond !
Déjà s'éteint ma lampe,
Et l'ombre de la rampe
40 Qui le long du mur rampe,
Monte jusqu'au plafond.

C'est l'essaim des Djinns qui passe,
Et tourbillonne en sifflant.
Les ifs, que leur vol fracasse,
Craquent comme un pin brûlant.
45 Leur troupeau lourd et rapide,
Volant dans l'espace vide,
Semble un nuage livide
Qui porte un éclair au flanc.

Ils sont tout près ! — Tenons fermée
50 Cette salle où nous les narguons.
Quel bruit dehors ! Hideuse armée
De vampires et de dragons !
La poutre du toit descellée
Ploie ainsi qu'une herbe mouillée,
55 Et la vieille porte rouillée
Tremble à déraciner ses gonds.

Cris de l'enfer ! voix qui hurle et qui pleure !
L'horrible essaim, poussé par l'aquilon,
Sans doute, ô ciel ! s'abat sur ma demeure.
60 Le mur fléchit sous le noir bataillon.
La maison crie et chancelle penchée,
Et l'on dirait que, du sol arrachée,
Ainsi qu'il chasse une feuille séchée,
Le vent la roule avec leur tourbillon !

65 Prophète ! si ta main me sauve
De ces impurs démons des soirs,
J'irai prosterner mon front chauve
Devant tes sacrés encensoirs !
Fais que sur ces portes fidèles
70 Meure leur souffle d'étincelles,
Et qu'en vain l'ongle de leurs ailes
Grince et crie à ces vitraux noirs !

Ils sont passés ! — Leur cohorte
S'envole et fuit, et leurs pieds
75 Cessent de battre ma porte
De leurs coups multipliés.
L'air est plein d'un bruit de chaînes,
Et dans les forêts prochaines
Frissonnent tous les grands chênes,
80 Sous leur vol de feu pliés !

De leurs ailes lointaines
Le battement décroît,
Si confus dans les plaines,
Si faible, que l'on croit
85 Ouïr la sauterelle
Crier d'une voix grêle,
Ou pétiller la grêle
Sur le plomb d'un vieux toit.

D'étranges syllabes
90 Nous viennent encor :
Ainsi, des Arabes
Quand sonne le cor,
Un chant sur la grève
Par instants s'élève.

95 Et l'enfant qui rêve
   Fait des rêves d'or.

   Les Djinns funèbres,
   Fils du trépas,
   Dans les ténèbres
100 Pressent leurs pas ;
   Leur essaim gronde ;
   Ainsi, profonde,
   Murmure une onde
   Qu'on ne voit pas.

105 Ce bruit vague
   Qui s'endort,
   C'est la vague
   Sur le bord ;
   C'est la plainte
110 Presque éteinte
   D'une sainte
   Pour un mort.

   On doute
   La nuit...
115 J'écoute :
   Tout fuit.
   Tout passe ;
   L'espace
   Efface
120 Le bruit.

a. Numérotez les strophes.
b. Quel est le nombre de vers par strophe ? En déduire le nom des strophes.
c. Pour chaque strophe, quel est le nombre de syllabes par vers ? En déduire le nom des divers types de vers.
d. Ces strophes sont-elles isométriques ou hétérométriques ?
e. Quelle est l'organisation « géométrique » de ces strophes ?
f. En quoi participe-t-elle au sens du poème ?

4 La musique des rimes

La rime est un élément sonore qui ponctue la fin de chaque vers et forme des échos entre deux ou plusieurs vers. Apparu au XIIe siècle, ce retour à la fin du vers d'une sonorité déjà entendue agit comme un accord musical qui souligne le rythme. La rime obéit à plusieurs principes qu'il convient d'examiner attentivement.

1. Disposition

Pour indiquer facilement la disposition des rimes, on a recours par convention aux lettres ABCD, etc.

Examinons l'exemple suivant :

	Frères humains qui après nous vi_vez_,	A
	N'ayez les cuers contre nous endur_ciz_	B
	Car, se pitié de nous pauvres a_vez_,	A
	Dieu en aura plus tost de vous mer_ciz_.	B
5	Vous nous voyez cy attachez cinq, _six_ :	B
	Quant de la chair, que trop avons nou_rrie_,	C
	Elle est piéça dévorée et pou_rrie_,	C
	Et nous, les os, devenons cendre et p_oudre_.	D
	De nostre mal personne ne s'en _rie_ :	C
10	Mais priez Dieu que tous nous veuille abs_oudre_ !	D

François Villon, _La ballade des pendus._

La même lettre correspond à des rimes semblables.

Ainsi : vi_vez_, a_vez_, sont désignés par A ;

endur_ciz_, mer_ciz_, s_ix_, sont désignés par B, etc.

Parmi les dispositions les plus fréquentes de rimes, on trouve :

— Les rimes **plates ou suivies** : AA BB

Le temps, qui s'en va nuit et <u>jour</u>,	A
Sans repos prendre, sans sé<u>jour</u>,	A
Qui nous fuit d'un pas si feut<u>ré</u>,	B
Qu'il semble toujours arrê<u>té</u>.	B

Guillaume de Lorris, Le roman de la rose.

— Les rimes **embrassées** : A B B A

Des portes du matin l'amante de Céph<u>ale</u>	A
Ses roses épandait dans le milieu des <u>airs</u>,	B
Et jetait sur les cieux nouvellement ou<u>verts</u>	B
Ces traits d'or et d'azur qu'en naissant elle ét<u>ale</u>.	A

Vincent Voiture, « La belle matineuse ».

— Les rimes **croisées** : A B A B

Comme un dernier rayon, comme un dernier zép<u>hyre</u>	A
Animent la fin d'un beau j<u>our</u>,	B
Au pied de l'échafaud, j'essaye encor ma l<u>yre</u>.	A
Peut-être est-ce bientôt mon t<u>our</u>.	B

André Chénier, Iambes.

Remarque

Depuis le XVIIe siècle, la disposition des rimes se plie à la règle de l'alternance des rimes féminines et des rimes masculines.

Rappelons qu'une rime féminine est terminée par un **e** muet, qui ne se prononce pas (voir ci-dessus, p. 6), tandis que la rime masculine est terminée par une syllabe qui se prononce.

Ex. : Dans l'extrait précédent des *Iambes* de Chénier :
zéphyre et *lyre* sont des rimes féminines,
jour et *tour* sont des rimes masculines.

Lorsqu'un poète décide de ne pas respecter cette alternance, c'est en principe pour créer un effet particulier de sonorités.

2. Pureté

Le deuxième critère d'évaluation de la rime consiste en l'appréciation de sa pureté. Il convient pour cela de différencier la « rime pour l'oreille » de la « rime pour l'œil ».

La « rime pour l'oreille » est fondée sur l'*homophonie*, c'est-à-dire la reprise de sons identiques.

Ex. : b*ière* et p*ierre*
        maître et *mettre*.

La « rime pour l'œil » est fondée non seulement sur l'*homophonie* mais également sur l'*homographie*, c'est-à-dire l'écriture identique des sons.

Ex. : b*ière* et pr*ière*
        m*aître* et dispar*aître*.

C'est la « rime pour l'œil » qui est considérée comme la plus pure.

3. Richesse

La richesse de la rime se calcule en fonction du nombre de sonorités vocaliques ou consonantiques homophones, c'est-à-dire qui se prononcent de façon identique.

Premier exemple :
soient les mots de rimes : *retrait* et *j'entrais*.
                              321   321

Ils ont en commun, en partant de la fin des mots :
— le son vocalique *è* (1) : retr$\boxed{ait}$, j'entr$\boxed{ais}$
— le son consonantique *r* (2) : ret$\boxed{r}$ait, j'ent$\boxed{r}$ais
— le son consonantique *t* (3) : re$\boxed{t}$rait, j'en$\boxed{t}$rais.

Ils ont donc en commun 3 sonorités.

Deuxième exemple :
soient les mots de rimes : *bizarre* et *phare*.
                            21   21

Les **e** muets finaux de « bizarre » et de « phare » ne comptent pas et constituent la rime féminine.

Ces deux mots ont en commun, en partant de la fin :

— le son consonantique : *r* (1)
— le son vocalique : *a* (2).

Ils ont donc en commun 2 sonorités.

On dit qu'une rime est :

pauvre : lorsqu'elle possède **une sonorité**, soit vocalique, soit consonantique, homophone.
Les deux mots n'ont en commun que la sonorité *é*.

Ex. : levé et tirer.
       1   1

suffisante : lorsqu'elle possède **deux sonorités**, soit vocaliques, soit consonantiques, homophones. Les deux mots ont en commun les sonorités *ou* et *l*.

Ex. : loup et filou.
     2 1   2 1

riche : lorsqu'elle possède **trois sonorités ou plus**, soit vocaliques, soit consonantiques, homophones. Les deux mots ont en commun les sonorités *r, oi* et *m*.

Ex. : mémoire et grimoire.
     3 2 1   3 2 1

4. Difficultés

C'est en quelque sorte pour valoriser la richesse de la rime que la facilité est proscrite dans le choix des rimes.

Depuis le XVIIe siècle, il est préférable de ne pas faire rimer :

• des mots de même catégorie grammaticale.
Par exemple, deux adverbes : *calmement* et *lourdement*
             deux verbes : *sortir* et *partir* ;

• ou un mot simple avec son composé :
manteau et *portemanteau*
il *danse et une contredanse* ;

• ou encore des mots qui s'appellent instinctivement :
amour et *toujours*
pleurs et *douleur*.

5. Cas particuliers

Il existe un certain nombre de rimes particulières, facilement identifiables, auxquelles on attribue une dénomination spécifique.

Leur particularité peut naître d'un phénomène de répétition.

La **rime couronnée** répète la syllabe de rime :

Ma blanche colom<u>belle</u>, <u>belle</u>
Souvent je vais p<u>riant</u>, c<u>riant</u>
Mais dessous la cor<u>delle</u> <u>d'elle</u>
Me jette un cœur f<u>riant</u>, <u>riant</u>.　　　Clément Marot.

Leur particularité peut être aussi inhérente à leur place.

La **rime enchaînée** reprend la base du mot de rime au début du vers suivant :

Dieu des amans, de mort <u>me garde</u> ;
<u>Me gard</u>ant donne moy bon heur.　　　Clément Marot.

La **rime batelée** fait rimer la fin du vers avec la fin de l'hémistiche suivant (cf. p. 38) :

Nymphes des bois, pour son nom sub<u>limer</u>
Et est<u>imer</u>, sur la mer sont allées
Si furent lors, comme on doit pré<u>sumer</u>,
Sans éc<u>umer</u> les vagues ravalées.　　　Clément Marot.

La **rime brisée** fait rimer les vers par la césure :

Chacun doit re<u>garder</u> selon droit de nature
Son bien propre <u>garder</u>, ou trop se dénature.　　　Crétin.

Leur particularité, enfin, repose parfois sur un phénomène particulier d'homophonie.

La **rime équivoquée** utilise le jeu de mots :

Et c'est à peine si l'allu<u>mette amorphe ose</u>
Même en rêve éclairer cette <u>métamorphose</u>.　　　J.-A. Glatigny.

La **rime léonine**, très riche, présente au moins deux syllabes semblables.

Soient les mots de rime : *sultan* et *insultant*.

Ces deux mots ont en commun cinq sonorités : « an », « t », « l », « u », « s ».

Les **vers holorimes** reprennent entièrement les mêmes sonorités :

> Par le bois du Djin, où s'entasse de l'effroi.
>
> Parle, bois du gin ou cent tasses de lait froid.

Alphonse Allais.

Tableau récapitulatif

En fin de vers

Rime

a. Disposition

— plates ou suivies A A B B
— embrassées A B B A
— croisées A B A B

b. Pureté

— « rime pour l'œil »
  - homophonie
  - homographie

c. Richesse

— pauvre : 1 son homophone
— suffisante : 2 sons homophones
— riche : 3 sons homophones ou plus

Exercices

[Corrigé p. 73]

1. *Voici quelques vers de La Fontaine, extraits de « La laitière et le pot au lait » :*

> Perrette, sur sa tête ayant un pot au lait
> > Bien posé sur un coussinet,
> Prétendait arriver sans encombre à la ville.
> Légère et court vêtue, elle allait à grands pas,
> 5 Ayant mis ce jour-là, pour être plus agile,
> > Cotillon simple et souliers plats.

a. Soulignez les rimes et notez-les par des lettres.
b. Indiquez-en la disposition.
c. S'agit-il de « rimes pour l'œil » ?
d. Étudiez leur richesse.
e. Analysez leur difficulté.

2. *Retrouvez les vers holorimes suivants :*

> Lâchant son silence.

Alphonse Allais.

> Dans ces meubles laqués, rideaux et dais moroses.

Charles Cros.

La musique 5
des sonorités

Si la rime est un facteur déterminant de l'harmonie poétique, les sonorités jouent également un rôle non négligeable à l'intérieur du vers. L'expressivité des sons en poésie crée une harmonie imitative.

1. Allitération

On appelle **allitération** la répétition d'une ou plusieurs consonnes à l'intérieur d'un vers :

> Des biches blanches qui broutent l'ache et le cytise.

Henri de Régnier.

> Pour qui sont ces serpents qui sifflent sur vos têtes ?

Jean Racine, Andromaque.

2. Assonance

On appelle **assonance** la répétition d'une ou plusieurs voyelles à l'intérieur d'un vers :

> L'élixir de ta bouche où l'amour se pavane.

Charles Baudelaire.

La poésie permet de communiquer certaines impressions, certaines correspondances entre un son et une impression, mais celles-ci n'ont rien de mécanique :

Les voyelles claires *i* et *u* expriment souvent la plainte ou, au contraire, la joie violente.

> Je le vis, je rougis, je pâlis à sa vue.

Jean Racine, Phèdre.

Les sons graves *ou, o, on* traduisent des bruits sourds ou la colère.

> Avec des gr<u>on</u>dements que pr<u>o</u>l<u>on</u>ge un l<u>on</u>g râle.
>
> José Maria de Heredia, « Bacchanale ».

Les consonnes sonores *p, t, k, b, d, g* suggèrent la dureté.

> <u>D</u>islo<u>g</u>ué, <u>d</u>e <u>c</u>ailloux en <u>c</u>ailloux <u>c</u>aho<u>t</u>é.
>
> Victor Hugo, « Le crapaud ».

Les consonnes sourdes *f, v, s, z, ch, j* et les consonnes liquides *l, m, n, r* indiquent la douceur.

> Le <u>f</u>lot sur <u>l</u>e <u>f</u>lot se rep<u>l</u>ie.
>
> Victor Hugo, « Napoléon II».

Exercice

[Corrigé p. 73]

Dans les vers suivants, soulignez d'un trait les allitérations et de deux traits les assonances :

> Un frais parfum sortait des touffes d'asphodèles ;
> Les souffles de la nuit flottaient sur Galgala.
>
> Victor Hugo, « Booz endormi », in *La légende des siècles*.

> Les faux beaux jours ont lui tout le jour, ma pauvre âme,
> Et les voici briller aux cuivres du couchant.
>
> Paul Verlaine, *Sagesse*.

> Comme un vol de gerfauts hors du charnier natal.
>
> José Maria de Heredia, *Les Trophées*.

La musique du rythme $\boxed{6}$

Souvent, le vers français se suffit à lui-même du point de vue du sens, c'est-à-dire qu'il correspond à une unité syntaxique : phrase ou groupe grammatical.

Ex. : groupe sujet ; groupe complément d'objet direct ; groupe complément circonstanciel de lieu.

De mortelles frayeurs je me sens l'âme atteinte.

Molière, *Amphitryon*.

Ce vers de Molière présente une unité de sens ; il n'est pas nécessaire de lire le vers précédent ou le vers suivant pour comprendre.
Mais il arrive parfois qu'un vers ne se suffise pas du point de vue du sens, qu'il ne corresponde pas à une unité grammaticale ; il est alors nécessaire de lire soit le vers précédent soit le vers suivant pour comprendre le sens.
Voici ce vers de Mallarmé :

Quand avec du soleil aux cheveux, dans la rue

A lui seul, ce vers n'est pas compréhensible ; il n'offre pas une unité de sens ; il est donc nécessaire, pour le comprendre, de le replacer dans son contexte :

J'errais donc, l'œil rivé sur le pavé vieilli,

Quand avec du soleil aux cheveux, dans la rue

Et dans le soir, tu m'es en riant apparue.

La notion de **rythme** en poésie varie en fonction de ces deux cas : vers se suffisant à lui-même ou vers lié à ceux qui précèdent ou qui suivent ; c'est pourquoi il faut les envisager séparément.

1. Le rythme à l'intérieur d'un seul vers : accent rythmique, coupe et césure

Le rythme d'un vers provient de deux facteurs : d'une part, l'accent rythmique et, d'autre part, les pauses respiratoires : la coupe et la césure.

a. L'accent rythmique

L'accent rythmique, en français, frappe la dernière syllabe prononcée d'un mot. On note cet accent par un signe conventionnel, un accent aigu, placé au-dessus de la syllabe accentuée. **Attention !** le e final d'un mot ne peut jamais porter l'accent tonique : tout se passe comme s'il ne comptait pas.

Envisageons quelques mots isolés et repérons leur accent tonique.

Ex. : moment (l'accent porte sur le son *en*) ;

repérable (l'accent ne porte pas seulement sur le *a* mais sur l'ensemble de la sonorité *abl*).

Lorsque plusieurs mots réunis forment un groupe grammatical, les mots perdent leur accent rythmique individuel, et l'accent rythmique frappe alors seulement **la dernière syllabe prononcée du dernier mot du groupe grammatical** :

Sur l'onde calme et noire où dorment les étoiles,

Arthur Rimbaud, *Poésies.*

Par exemple, dans le vers précédent, le groupe complément circonstanciel de lieu ne s'arrête pas à « sur l'onde », car le substantif est accompagné de deux adjectifs « calme et noire » ; c'est pourquoi l'accent rythmique frappe l'adjectif : « noire ».

Le propre de la poésie, c'est de répartir les accents rythmiques selon une cadence harmonieuse.

Une suite de monosyllabes accentuées est désagréable : il n'y a pas de cadence possible. Voici un exemple où Racine a volontairement accumulé deux accents de suite :

La quitter ! vous, Seigneur ?

Jean Racine, *Bérénice.*

De même, une suite de monosyllabes inaccentuées donne une impression de platitude prosaïque :

Je ne vous dis plus mot.

Molière, L'École des femmes.

Alors qu'une suite de monosyllabes peut être harmonieuse si les accents rythmiques sont bien répartis :

Le jour n'est pas plus pur que le fond de mon cœur.

Jean Racine.

b. Les pauses respiratoires : la coupe et la césure

— **La coupe** : chaque accent rythmique constitue un temps fort du rythme et se trouve donc immédiatement suivi d'un temps de silence ou pause que l'on appelle **la coupe**. Il y a donc une coupe après chaque accent rythmique. Cette pause respiratoire doit se traduire lors de la lecture. La répartition de ces silences est un facteur d'harmonie du vers.

On note la coupe d'un trait oblique en pointillé :

Bergère qui gardiez les moutons à Nanterre
Et guettiez au printemps/la première hirondelle.

Charles Péguy.

Entre deux coupes, on peut comptabiliser un certain nombre de syllabes qui constituent **une mesure** :

Britannicus,/Seigneur,/ demande la princesse.
   4   / 2 /   6

Jean Racine, Britannicus.

Première mesure = 4 syllabes
Deuxième mesure = 2   "
Troisième mesure = 6   "

A l'intérieur d'un vers, la coupe se place immédiatement après l'accent rythmique. Comme nous l'avons vu, elle n'a donc pas de place fixe. C'est cette **variété de la disposition des coupes** qui crée la variété du rythme des vers.

Je veux dormir,/dormir/plutôt que vivre !
  4   / 2 /   4

Charles Baudelaire.

c. La césure est une coupe plus marquée qui sépare les syllabes du vers en deux blocs appelés **hémistiches**. Les vers courts ne comportent pas de césure ; ils peuvent se dire d'une seule traite. On note conventionnellement la césure par deux traits obliques : //.

— Dans l'alexandrin (vers de 12 syllabes), la césure est fixe : après la sixième syllabe, à l'exception des cas particuliers que nous examinerons (cf. p. 39) :

> Midi lâchait l'essaim // des pâles ouvrières,
> 6　　　　　　　　　6

Jules Laforgue, Derniers vers.

— Dans l'ennéasyllabe (vers de 9 syllabes), la place de la césure est variable : c'est une **césure mobile** qui peut se situer :

• soit après la troisième syllabe :

> Que ton vers // soit la bonne aventure.
> 3　　　　　　6

Paul Verlaine, Art poétique.

• soit après la quatrième syllabe :

> Le bleu fouillis //des claires étoiles.
> 4　　　　　　5

Paul Verlaine, Art poétique.

• soit après la cinquième syllabe :

> Mouette à l'essor //mélancolique.
> 5　　　　　4

Paul Verlaine, Sagesse, III, 7.

— Dans le décasyllabe (vers de 10 syllabes), la place de la césure est en général après la quatrième syllabe :

> En regardant // vers le pays de France,
> 4　　　　　　6

Charles d'Orléans, Complainte de France.

— Dans l'octosyllabe (vers de 8 syllabes), il n'y a pas de césure mais toujours au moins une coupe :

> O dieux !/ô bergers !/ô rocailles !
> 2　/　　3　/　　3

Alfred de Musset, « Sur trois marches de marbre rose ».

Deux cas particuliers concernant l'alexandrin :

Certains alexandrins reposent sur **quatre** accents rythmiques, donc **quatre** coupes qui délimitent quatre mesures de trois syllabes : on les appelle des **tétramètres**.

> Je n'ay plus que les os, un squelette je semble,
> Décharné, / dénervé, / démusclé, / dépoulpé.
>   3   /   3   /   3   /   3

Pierre de Ronsard, Derniers vers.

D'autres alexandrins reposent sur **trois** accents rythmiques, donc **trois** coupes qui délimitent trois mesures de quatre syllabes : on les nomme des **trimètres**.

> Il fut héros, / il fut géant, / il fut génie.
>   4   /   4   /   4

Victor Hugo.

Au XVIIᵉ siècle, le grand rythme de la poésie sérieuse est le tétramètre ; la plupart des vers de Corneille et de Racine sont des tétramètres. C'est l'époque romantique (XIXᵉ siècle) qui a introduit le trimètre, plus souple et plus rapide.

2. Le rythme sur plusieurs vers : enjambement, rejet et contre-rejet

La majorité des vers, nous l'avons dit, ont en principe une unité de sens : le rythme doit s'accorder avec la syntaxe ; les coupes doivent correspondre à des groupes de mots ou à des groupes grammaticaux. Mais il arrive aussi qu'un vers n'ait pas à lui seul une unité de sens et qu'il soit étroitement dépendant des vers qui le précèdent ou qui le suivent. C'est ce qu'on appelle l'**enjambement**.

a. L'enjambement

Lorsque l'unité de sens d'un vers ne correspond pas avec la fin du vers, on dit qu'il y a **enjambement externe** :

> La nuit était lugubre : on entendait des coups
> De fusil dans la rue où l'on en tuait d'autres.

Victor Hugo, Châtiments.

Il y a ici enjambement entre le vers 1 et le vers 2 :

> [des coups de fusil]

N.B. : Lorsque l'unité syntaxique d'un vers ne concorde pas avec la césure, il y a également enjambement :

[Personne ne lit plus // le sort] dans les tarots
         6   6

Louis Aragon.

Cet enjambement pratiqué à la césure s'appelle **enjambement interne.**

b. Deux résultats de l'enjambement : le rejet et le contre-rejet

— On appelle **rejet** la portion d'unité syntaxique, c'est-à-dire l'ensemble des mots, rejetée après la fin du vers (donc dans le vers suivant).

Attention ! Le terme « rejet » ne désigne donc pas le processus mais les **mots** effectivement rejetés dans le vers suivant. Le processus, lui, comme nous l'avons vu, porte le nom d' « enjambement ».

Ex. : Dans les deux vers précédents de Victor Hugo, le rejet est : « de fusil ».

N.B. : Dans le cas d'un enjambement interne, pratiqué à la césure, le rejet est l'ensemble des mots rejetés après la césure, c'est-à-dire dans le deuxième hémistiche.

Ex. : Dans le vers précédent d'Aragon, le rejet est : « le sort ».

— On appelle **contre-rejet** la portion d'unité syntaxique, c'est-à-dire l'ensemble des mots, se trouvant avant la fin du vers.

Ex. : Dans les deux vers précédents de Victor Hugo, le contre-rejet est : « des coups ».

N.B. : Dans le cas d'un enjambement interne, pratiqué à la césure, le contre-rejet est l'ensemble des mots placés avant la césure, c'est-à-dire dans le premier hémistiche.

Ex. : Dans le vers précédent d'Aragon, le contre-rejet est : « Personne ne lit plus ».

En résumé :

— Dans les deux vers de Victor Hugo :
   - enjambement = [des coups de fusil]

- rejet = de fusil
- contre-rejet = des coups.

— Dans le vers d'Aragon :
- enjambement interne : [Personne ne lit plus le sort]
- rejet = le sort
- contre-rejet = personne ne lit plus.

Le phénomène de l'enjambement, entraînant rejet et contre-rejet, est utilisé en poésie pour éviter la monotonie d'une structure vers à vers ; il peut aussi servir à créer des effets de rythme nouveaux (par exemple, à mettre en relief certains mots) ou à lier davantage une suite de vers. Aragon, par exemple, dans les vers qui suivent, enrichit les impressions de lecture en refusant le découpage syntaxique traditionnel au profit d'une série d'enjambements :

Toutes les chambres de la vie au bout du compte sont

Des tiroirs renversés. Toutes les

Chambres de la vie et celles dont

Je ne dis rien toutes les chambres maintenant.

Tableau récapitulatif

Rythme	
A l'intérieur d'un seul vers	**Sur plusieurs vers**
Accent rythmique (frappe la dernière syllabe prononcée d'un groupe grammatical).	**Enjambement**
	externe : sur deux vers
Coupe /: pause, placée immédiatement après l'accent rythmique.	**interne** : à la césure.
	Rejet : mot ou groupe de mots rejeté dans le vers suivant ou après la césure.
Césure : // pause forte qui sépare le vers en **2 hémistiches**.	**Contre-rejet** : mot ou groupe de mots placé dans le vers précédent ou avant la césure.
Alexandrin : 6 // 6	
3 / 3 / 3 / 3 : tétramètre	
4 / 4 / 4 : trimètre	
Décasyllabe : 4 // 6	
Ennéasyllabe : 3 // 6	
4 // 5	
5 // 4	

Exercices

[Corrigé p. 73]

1. *Dans les alexandrins suivants, notez les accents rythmiques, les coupes et les césures :*

Le soleil, par degrés, de la brume émergeant,
Dore la vieille tour et le haut des mâtures ;
Et, jetant son filet sur les vagues obscures,
Fait scintiller la mer dans ses mailles d'argent.

Albert Samain.

2. *Dans les décasyllabes suivants, après avoir noté les coupes et les césures, marquez sous chaque vers le nombre de syllabes que comporte chaque mesure :*

Ce toit tranquille, où marchent des colombes,
Entre les pins palpite, entre les tombes ;
Midi le juste y compose de feux
La mer, la mer, toujours recommencée !
5   Ô récompense après une pensée,
Qu'un long regard sur le calme des dieux !

Paul Valéry, Le cimetière marin.

3. *En étudiant les coupes et les césures des alexandrins suivants, dites s'il s'agit de trimètres ou de tétramètres :*

L'ombre des tours faisait la nuit dans la campagne.

Victor Hugo.

Je le vis, je rougis, je pâlis à sa vue.

Jean Racine, Phèdre.

Une nuit claire, un vent glacé. La neige est rouge.

Charles Leconte de Lisle, « Le cœur de Hialmar ».

Toujours aimer, toujours souffrir, toujours mourir.

Pierre Corneille.

Je voulais en mourant prendre soin de ma gloire.

Jean Racine.

Et l'espoir, malgré moi, s'est glissé dans mon cœur.

Jean Racine.

4. *Dans le poème suivant, notez les enjambements inter-nes et externes entre des crochets : [ ] ; soulignez d'un trait plein les rejets et d'un trait en pointillé les contre-rejets.*

L'Horloge

Horloge ! dieu sinistre, effrayant, impassible,
Dont le doigt nous menace et nous dit : « *Souviens-toi !*
Les vibrantes Douleurs dans ton cœur plein d'effroi
Se planteront bientôt comme dans une cible ;

5   Le Plaisir vaporeux fuira vers l'horizon
Ainsi qu'une sylphide[1] au fond de la coulisse ;
Chaque instant te dévore un morceau du délice
A chaque homme accordé pour toute sa saison.

Trois mille six cents fois par heure, la Seconde
10   Chuchote : « *Souviens-toi !* — Rapide, avec sa voix
D'insecte, Maintenant dit : Je suis Autrefois,
Et j'ai pompé ta vie avec ma trompe immonde !

Charles Baudelaire, Les Fleurs du mal.

Analysez l'intérêt stylistique de ces enjambements.

1. Génie de l'air.

7 La poésie des images

Pour mieux comprendre ce qu'est la poésie des images, examinons tout d'abord ce poème en prose de Jules Renard :

Les coquelicots

Ils éclatent dans le blé, comme une armée de petits soldats : mais d'un bien plus beau rouge, ils sont inoffensifs.
Leur épée, c'est un épi.
C'est le vent qui les fait courir, et chaque coquelicot s'attarde,
5 quand il veut, au bord du sillon, avec le bleuet, sa payse.

Dans ce poème en prose, extrait des *Histoires naturelles*, apparaît une série d'images. La plus explicite se trouve dans la première phrase. Cette image est soulignée, mise en relief pour que le lecteur la repère facilement :
« Ils (les coquelicots) éclatent dans le blé, comme une armée de petits soldats. »
Cette image **explicite** est appelée une **comparaison**.

Mais ce poème présente également deux autres images **implicites,** c'est-à-dire plus subtiles ; elles sont moins appuyées, plus difficiles à repérer pour le lecteur, car elles ne sont pas introduites par « comme ».
« Leur épée, c'est un épi. »
« Chaque coquelicot s'attarde [...] avec le bleuet, sa payse. »
Ces images implicites sont appelées des **métaphores**.

1. Comment distinguer comparaison et métaphore ?

a. Comparaison

Une **comparaison** réunit deux éléments comparés en utilisant un outil comparatif.

Parmi les **outils comparatifs**, c'est-à-dire les mots qui introduisent une comparaison, le plus fréquemment utilisé est l'adverbe « comme ». Mais on peut trouver également des adjectifs : « tel, pareil à, semblable à », ou bien des verbes : « sembler, ressembler à, paraître »...

Ex. : Ils (les coquelicots) éclatent dans le blé, comme
       (élément comparé)   (outil
                                                  comparatif)

     une armée de petits soldats.
        (élément comparé)

On pourra dire aussi :
    Les coquelicots ressemblaient à une armée
                       étaient semblables à...
                       étaient pareils à...
                       semblaient être...
                       tels...

L'auxiliaire être, qui établit une assimilation directe entre deux éléments, ne constitue pas un outil comparatif.
Par exemple, la phrase : « Les coquelicots sont une armée de petits soldats », n'est pas une comparaison, mais une métaphore.

b. Métaphore

Une **métaphore** réunit également deux éléments comparés mais sans utiliser d'outil comparatif.
Pour reprendre l'image des coquelicots et transformer la comparaison en métaphore, on aura :

Les coquelicots, une armée de petits soldats, éclatent
(élément comparé)   (élément comparé)
dans le blé.

Construction de la métaphore : d'un point de vue syntaxique, la métaphore peut se construire de trois manières différentes.

• par une apposition :

Ex. : Les coquelicots, une armée de petits soldats, éclatent dans le blé.

Dans ce cas, « une armée de petits soldats », à laquelle sont comparés les coquelicots, est apposée (placée à côté et séparée par une virgule) au terme « coquelicots ».

• par un attribut :

Ex. : Les coquelicots sont une armée de petits soldats qui éclatent dans le blé.

Ici, « une armée de petits soldats » est attribut de « coquelicots ».

• par un complément du nom :

Ex. : Une armée de coquelicots éclate dans le blé.

Cette fois, la construction est plus complexe, et la métaphore est plus difficile à repérer. En effet, « une armée de petits soldats » n'est plus répété intégralement : « les petits soldats » ne sont plus mentionnés car, dans cette présentation de la métaphore, il y a concentration de l'expression : on passe directement à « une armée de coquelicots » sans suggérer clairement que les coquelicots sont des « petits soldats ».

Lorsqu'une métaphore est développée tout au long d'un texte ou simplement dans une partie du texte, elle est appelée **métaphore filée**.
La métaphore est donc dite « filée » lorsqu'elle se poursuit grâce à d'autres éléments imagés.

Ex. : Dans le poème en prose de J. Renard, se développe la métaphore filée de la guerre à travers trois expressions : « éclatent... une armée de petits soldats », puis « inoffensifs », enfin « leur épée ».

Expressions métaphoriques :
Dans la langue française, **plusieurs types de mots peuvent avoir une valeur de métaphore**.

Ex. : le nom : un ours = un homme bourru et sauvage
　　　　　　　　un agneau = une personne douce
　　　l'adjectif : une vie orageuse = tourmentée
　　　le participe : pétrifié d'étonnement = figé comme une pierre
　　　　　　　　　fondant en larmes
　　　le verbe : sonder les esprits = chercher à connaître les pensées
　　　l'adverbe : répondre sèchement
　　　　　　　　recevoir froidement.

Tableau récapitulatif

Comparaison

Les coquelicots éclatent dans le blé comme
(élément comparé)   (outil)
une armée de petits soldats.
        (élément comparé)

Métaphore

• apposition :
Les coquelicots, une armée de petits soldats, éclatent dans le blé.
(élément comparé)   (élément comparé apposé)

• attribut :
Les coquelicots sont une armée de petits soldats qui éclatent
(élément comparé)   (élément comparé attribut)
dans le blé.

• complément du nom :
Une armée de coquelicots éclate dans le blé.
(élément   (élément
comparé)   comparé complément du nom)

c. Valeur de la comparaison et de la métaphore

Les exemples que nous venons d'étudier nous prouvent que la comparaison est plus détaillée, plus explicite.

Au contraire, la métaphore est plus concise, plus synthétique : le texte « saute une étape » ; l'outil comparatif est omis. C'est pourquoi, dans un texte, la métaphore est l'élément le plus expressif : c'est donc une figure plus littéraire.

Pour être particulièrement réussies, comparaisons et métaphores doivent obéir à un critère essentiel : la justesse des caractères communs aux deux éléments comparés.

Note : Les poètes surréalistes n'ont pas toujours cherché la justesse des motifs communs. Au contraire, ils ont parfois voulu surprendre le lecteur :

La terre est bleue comme une orange

                                                    Paul Éluard.

L'aspect surprenant de cette comparaison vient du fait qu'elle porte sur le caractère « bleu » qui serait, d'après le poète, commun à la terre et à l'orange. En réalité, le caractère commun à la terre et à l'orange : la rondeur, n'est pas exprimé mais seulement sous-entendu.

Certains poètes modernes, Desnos, Prévert, Queneau, ont tenté de redonner vie à certaines métaphores, tellement utilisées qu'elles perdent leur pouvoir d'images.

Ex. : « La nuit tombe / sans se faire mal :
         elle a l'habitude »

Le verbe « tomber » est pris ici, par jeu, au sens propre de « faire une chute ».

2. La catachrèse

La **catachrèse** est l'utilisation métaphorique d'un mot pour remplacer un terme qui n'existe pas dans une langue donnée. On parlera, par exemple, des « bras d'un fauteuil ». Car il n'existe pas de terme spécifique pour nommer cette partie du fauteuil. On utilise alors la métaphore du bras.

On aura de même les expressions suivantes :
— un <u>bras</u> de mer
— les <u>ailes</u> d'un bâtiment
— la <u>tête</u> d'un clou.

3. La métonymie

La **métonymie** est le procédé qui consiste à nommer une réalité qui serait trop longue à exprimer, par une autre réalité qui est liée à la précédente par un lien logique facilement identifiable.

La métonymie est donc un raccourci d'expression.

Ex. : boire <u>une bouteille</u> = le contenu d'une bouteille
      lire <u>un Zola</u> = un ouvrage de Zola
      écouter <u>du Chopin</u> = de la musique de Chopin.

Digne ennemi de mon plus grand bonheur,

      <u>Fer</u> qui cause ma peine.   Pierre Corneille, *Le Cid.*

A travers le mot « fer », Rodrigue est censé s'adresser à son épée.

4. La synecdoque

La **synecdoque** constitue une variante de la métonymie. C'est le procédé qui consiste à nommer une réalité par **une partie** seulement de cette réalité.

Ex. : Vivre sous le même <u>toit</u>.
Le toit, qui est une partie de la maison, remplace ici le mot « maison ».

Ex. : une méchante <u>langue</u> : un individu qui dit du mal d'autrui.
    Il est âgé de douze <u>printemps</u> : douze ans.

Je ne regarderai ni l'or du soir qui tombe,
Ni <u>les voiles</u> au loin descendant vers Harfleur.

Victor Hugo, Les Contemplations.

Exercices

[Corrigé p. 75]

I. Dans les strophes extraites du poème en prose suivant, classez en deux colonnes les comparaisons et les métaphores :

Les cinq doigts de la main

Le pouce est ce gras cabaretier flamand, d'humeur goguenarde et grivoise[1], qui fume sur sa porte, à l'enseigne de la double bière de mars.

5 L'index est sa femme, virago sèche comme une merluche[2], qui, dès le matin, soufflette sa servante dont elle est jalouse, et caresse la bouteille dont elle est amoureuse.

| · |

Et le doigt de l'oreille est le Benjamin de la famille, marmot pleureur qui toujours se brimbale à la ceinture de sa mère comme
10 un petit enfant pendu au croc d'une ogresse.

Aloysius Bertrand, Gaspard de la nuit.

---

1. D'une gaieté un peu trop hardie.
2. Une grande femme autoritaire, à l'allure masculine, maigre comme de la morue séchée.

2. *Dans chaque extrait des poèmes suivants, dites s'il s'agit d'une métaphore ou d'une comparaison en déterminant les éléments comparés et, s'il y a lieu, l'outil comparatif :*

Mes deux filles

Dans le frais clair-obscur du soir charmant qui tombe,
L'une pareille au cygne et l'autre à la colombe,
Belles et toutes deux joyeuses, ô douceur !

Victor Hugo, Les Contemplations.

Le bonheur entourait cette maison tranquille
Comme une eau bleue entoure exactement une île.

Francis Jammes.

Les vieilles maisons sont toutes voûtées.
Elles sont comme des grand-mères
Qui se tiennent assises, les mains sur les genoux
Parce qu'elles ont trop travaillé dans leur vie.

C.-F. Ramuz.

La puce, un grain de tabac à ressort.

Jules Renard, Histoires naturelles.

Et Ruth se demandait,
Immobile, ouvrant l'œil à moitié sous ses voiles,
Quel Dieu, quel moissonneur de l'éternel été
Avait, en s'en allant, négligemment jeté
Cette faucille d'or dans le champ des étoiles.

Victor Hugo, « Booz endormi ».

3. *Dans les expressions suivantes, soulignez d'un trait plein les catachrèses, d'un double trait les métonymies et d'un trait en pointillé les synecdoques :*

— Le corps d'une armée
— Acheter un Goya
— Une tête d'épingle
— Une âme généreuse
— Une voile à l'horizon
— Les ailes d'un moulin à vent
— Porter un cachemire.

La poésie des mots 8

Bien placés, bien choisis
Quelques mots font une poésie.

Raymond Queneau, *L'instant fatal*, 1948.

1. Le choc entre les mots

« Les mots s'allument de reflets réciproques », écrit Mallarmé. On en est venu à cultiver le goût pour le choc entre les mots.

On appelle **oxymore** le procédé qui consiste à étroitement relier par la syntaxe deux termes évoquant des réalités contradictoires.

Ex. : se presser / lentement
une douce / violence.

> Je voulais en mourant prendre soin de ma gloire
> Et dérober au jour **une flamme si noire**.
>
> Jean Racine, *Phèdre*.

> Cette **obscure clarté** qui tombe des étoiles.
>
> Pierre Corneille, *Le Cid*, IV, 3.

Il faut bien distinguer l'oxymore de l'**antithèse** dans laquelle les deux termes, évoquant des réalités contradictoires, sont <u>opposés</u> et non reliés par la syntaxe.

> Triste amante des morts, elle hait les vivants.
>
> Voltaire, *La Henriade*.

Sacrifiant à la logique, l'oxymore cherche au contraire à surprendre et à faire naître la poésie de l'inattendu, en exprimant ce qui est inconcevable.

On appelle **hypallage** le procédé qui consiste à attribuer une qualité appartenant à un objet cité dans l'énoncé, à un autre objet présent lui aussi dans l'énoncé.

> Ce marchand accoudé sur son **comptoir avide**.
>
> Victor Hugo.

La qualité « avide », qui appartient en fait au marchand, est ici attribuée au « comptoir ».

2. Un langage en écho

On appelle **paronomase** le procédé qui consiste à réunir dans une même phrase des mots dont le son est à peu près identique mais le sens tout à fait différent.

> Toi qui endors **les cœurs**, toi qui endors **les corps**.
>
> Charles Péguy.

Les mots « cœurs » et « corps » sont formés par des sonorités très proches.

> Où **résida** le **réséda** ?
> **Réside**-t-il au Canada ?
> Dans les campagnes de Juda ?
> Ou sur les flancs du Mont Ida ?
> 5 Pour l'instant sur la véranda
> Se trouve bien le **réséda**
> Oui-da
>
> Robert Desnos.

On appelle **anagramme** un mot obtenu en utilisant dans un ordre différent les lettres d'un autre mot :

> Et l'on a la surprise de voir naître
> une **image** comme par **magie**
> **Génie** naît de la **neige**, son nid.
>
> Michel Leiris

> Nous étions faits pour être libres
> Nous étions faits pour être heureux
> Comme la vitre pour le **givre**
> Et les vêpres pour les aveux
> Comme la **grive** pour être ivre
>
> Louis Aragon, *Elsa.*

Certaines anagrammes nous font entrer dans le domaine des **palindromes,** qui peuvent se lire de gauche à droite et de droite à gauche en conservant le même sens.

Ex. : rêver
    ève fève
    mon / nom
    élu par cet/te crapule.

3. Un langage reconstruit

On appelle **mot-valise** un condensé de plusieurs mots aux sonorités voisines. Le mot-valise exprime plusieurs sens à travers un seul mot.

Dans un dictionnaire imaginaire, le « Fictionnaire » Alain Finkelkraut crée des mots-valises dont il explique ensuite les différents sens :

Ex. : « Boulangélique : qui a le visage poupard et bouffi d'un chérubin gourmand », composé de boulanger + angélique (qui a le propre de l'ange ou tige confite d'une plante utilisée pour parfumer les gâteaux).

Ex. : « Gorespondance : échange de nouvelles entre deux cochons », composé de goret + correspondance.

4. Le langage, objet poétique

Avez-vous déjà regardé un **mot** de près ? Prenez-en un et observez-le. Prononcez-le plusieurs fois, sur des tons et des rythmes différents. Puis décomposez-le. Il faut que, selon l'expression de F. Ponge, vous le « mettiez dans tous ses états ». Il devient alors une **chose** que vous pouvez manipuler à votre guise.

En pensant à la **chose** et au **mot**, comment faire la description la plus exacte possible de cette **chose** tout en ne quittant pas le **mot** des yeux ?

Voici ce que F. Ponge a imaginé pour « La cruche » :

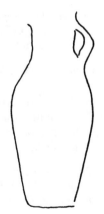

« Pas d'autre mot qui sonne comme cruche. Grâce à cet U qui s'ouvre en son milieu, cruche est plus creux que creux et l'est à sa façon. C'est un creux entouré d'une terre fragile : rugueuse et fêlable à merci.
Cruche d'abord est vide et le plus tôt possible vide encore. Cruche vide est sonore. Cruche d'abord est vide et s'emplit en chantant. De si peu haut que l'eau s'y précipite, cruche d'abord est vide et s'emplit en chantant. »

On trouve dans le texte de Francis Ponge des expressions qui exploitent les **sonorités** du mot « cruche » :
— « grâce à cet U... cruche est plus creux que creux »
— « cruche vide est sonore »
— « cruche d'abord est vide (cru) et s'emplit en chantant (che) ».

La typographie de la lettre U évoque l'**image** de la cruche :
— « grâce à cet U qui s'ouvre en son milieu ».

Paul Claudel, au contact des idéogrammes chinois, a découvert les vertus mimétiques de l'écriture ; il s'est demandé « si dans notre écriture occidentale il n'y aurait pas moyen de retrouver également une certaine représentation des objets qu'elle signifie » (*Idéogrammes occidentaux*, 1926).

> « Monument, c'est un véritable édifice du temps de Louis XIV avec ces deux ailes symétriques et sa loggia centrale tout encadrée de colonnes ; »
> « âne. Le cri formidable exécuté par la bouche largement ouverte
> 5   d'un artiste et pourquoi la barre de l'a ne serait-elle pas la queue que l'animal tient toute droite pour s'aider à braire si l'on en croit la Comtesse de Ségur ? n est le pont formé par l'échine du quadrupède, e son arc-boutement pour ruer. »

Idéogrammes occidentaux.

Exercices

[Corrigé p. 76]

1. Trouvez les anagrammes des mots suivants :
coude - dire - délire - ruse - rien - poutre - loupe - écran - repas - armure - chéri - salive - rhume - secours.

2. Complétez ces phrases par les anagrammes des mots soulignés :
— Qui <u>ricane</u> ? demanda Molière. C'est ......, lui répondit-on.
— Les <u>pies</u> ont attaqué les ......, la récolte est perdue.
— <u>Éviter</u> la ......, c'est accepter le mensonge.

3. Quel auteur français signait-il ses œuvres sous le pseudonyme ALCOFRIBAS NASIER (anagramme de son prénom et de son nom) ?

4. *Complétez le palindrome suivant : Esope reste ici . . .*

5. *Dans les vers suivants, soulignez d'un trait les oxymores, de deux traits les hypallages, et d'un trait en pointillé les paronomases :*

Trahissant la vertu sur un papier coupable.

Nicolas Boileau.

Elle se hâte avec lenteur.

Jean de La Fontaine, *Fables*, « Le lièvre et la tortue ».

Qui se ressemble s'assemble.

Où tant de marbre est tremblant sur tant d'ombre.

Paul Valéry, *Le cimetière marin.*

6. *Voici des mots-valises accompagnés de leur définition. Retrouvez les mots qui ont servi à les fabriquer :*

— adoliquescence : propriété qu'ont certains adolescents d'absorber l'humidité de l'air et de s'y dissoudre en devenant liquides ;

— diablogue : conversation entrecoupée de rires sataniques.

7. *Le Gymnaste*

Comme son G l'indique le gymnaste porte le bouc et la moustache que rejoint presque une grosse mèche en accroche-cœur sur un front bas.

Moulé dans un maillot qui fait deux plis sur l'aine il porte aussi,
5 comme son Y, la queue à gauche.

Tous les cœurs il dévaste mais il se doit d'être chaste et son juron est BASTE !

Plus rose que nature et moins adroit qu'un singe il bondit aux agrès saisi d'un zèle pur. Puis du chef de son corps pris dans
10 la corde à nœuds il interroge l'air comme un ver de sa motte.

Pour finir il choit parfois des cintres comme une chenille, mais rebondit sur pieds, et c'est alors le parangon adulé de la bêtise humaine qui vous salue.

Francis Ponge, *Le parti pris des choses.*

a. Relevez tous les mots qui exploitent les sonorités du mot « Gymnaste ».

b. Relevez toutes les images qui sont suggérées par la typographie des lettres qui forment le mot « Gymnaste ».

9 Formes fixes

La versification française possède un certain nombre de poèmes à forme fixe, dont certains remontent aux premiers temps de notre littérature.

La plupart datant du Moyen âge sont aujourd'hui ou tout à fait oubliés ou à peu près abandonnés ; c'est le cas du **lai**, du **virelai**, du **rondeau**, de la **villanelle**. Mais quelques-uns ont eu un regain de fortune au XIXᵉ siècle : la **terzarima** chez les Parnassiens, ou au XXᵉ siècle : la **ballade**. Notre étude ne retiendra que trois formes fixes : le **sonnet**, la **ballade** et le **pantoum**.

1. Le sonnet

Le **sonnet**, importé en France par les Italiens au XVIᵉ siècle, n'a cessé d'être utilisé depuis la Renaissance jusqu'à nos jours. Renouvelé par Heredia, Baudelaire et Verlaine au XIXᵉ siècle, il a su tenter encore bien des poètes contemporains : Robert Desnos, Raymond Queneau.

Tous deux ils regardaient, de la haute terrasse,
L'Égypte s'endormir sous un ciel étouffant
Et le Fleuve, à travers le Delta noir qu'il fend.
Vers Bubaste ou Saïs rouler son onde grasse.

5   Et le Romain sentait sous la lourde cuirasse,
Soldat captif berçant le sommeil d'un enfant,
Ployer et défaillir sous son cœur triomphant
Le corps voluptueux que son étreinte embrasse.

Tournant sa tête pâle entre ses cheveux bruns
10 Vers celui qu'enivraient d'invincibles parfums,
Elle tendit sa bouche et ses prunelles claires ;

Et, sur elle courbé, l'ardent Imperator
Vit dans ses larges yeux étoilés de points d'or
Toute une mer immense où fuyaient des galères.

José Maria de Heredia, « Antoine et Cléopâtre ».

- Un sonnet se compose de 14 vers, groupés en **deux quatrains** et **deux tercets**.

Il peut être écrit en des vers variés (par exemple, de 5, 8, 10 ou 12 syllabes) mais le même vers est conservé dans tout le poème.

- Il obéit à un **schéma précis de rimes**.

Il est en général construit sur 5 rimes.

La composition, qui doit être identique dans les 2 quatrains, se présente sous deux formes :

soit des rimes embrassées : A B B A/A B B A

soit des rimes croisées :   A B A B/A B A B

La composition des tercets obéit au schéma suivant :

— toujours C C D dans le premier tercet

— E D E ou E E D dans le second tercet.

Le schéma des rimes d'un **sonnet régulier** est donc le suivant :

$$\begin{matrix} A\ B\ B\ A/A\ B\ B\ A \\ A\ B\ A\ B/A\ B\ A\ B \end{matrix} \Big/\!/\ C\ C\ D\ \Big/ \begin{matrix} E\ D\ E \\ E\ E\ D \end{matrix}$$

- Le dernier vers, appelé **vers de chute**, est particulièrement dense, et clôt le poème.
- Pour ce qui est du sens du sonnet, les **deux quatrains** développent une **même idée**, tandis que les **tercets** forment un **contraste** ou un **parallèle**.
- Malgré son étendue très limitée, le sonnet peut **aborder tous les sujets, prendre tous les tons**.
- Parmi les plus fervents adeptes du sonnet, on peut citer Du Bellay, Ronsard, Marot, Malherbe, Musset, les Parnassiens (surtout Heredia), Baudelaire, Verlaine, Rimbaud, Valéry, Mallarmé.

2. La ballade

Apparue au XIVe siècle, elle connut un immense succès jusqu'aux années 1700 et après une période d'oubli, elle fut reprise avec les mêmes règles au XIXe siècle par les Parnassiens, par exemple par Banville ou par Richepin. « La ballade des pendus » de François Villon, composée en 1462, est la plus célèbre de notre histoire littéraire.

> Frères humains qui après nous vivez,
>
> N'aiez les cuers contre nous endurcis ;
>
> Car se pitié de nous povres avez,
>
> Dieu en aura plus tost de vous mercis.

5   Vous nous voiez cy atachez, cinq, sis ;
     Quant de la chair, que trop avons nourrie,
     Elle est pieça[1] devoree et pourrie,
     Et nous, les os, devenons cendre et poudre.
     De nostre mal personne ne s'en rie,
10   Mais priez Dieu que tous nous vueille absouldre !

     Se vous clamons frères[2] pas n'en devez
     Avoir desdaing, quoy que fusmes occis
     Par justice ; toutesfois vous sçavez
     Que tous hommes n'ont pas bon sens assis[3].
15   Excusez-nous, puis que sommes transis[4],
     Envers le filz de la Vierge Marie,
     Que sa grace ne soit pour nous tarie,
     Nous preservant de l'infernale fouldre,
     Nous sommes mors : ame ne nous harie[5] ;
20   Mais priez Dieu que tous nous vueille absouldre !

     La pluye nous a buez[6] et lavez
     Et le soleil dessechez et noircis ;
     Pies, corbeaux nous ont les yeux cavez
     Et arraché la barbe et les sourcilz ;
25   Jamais, nul temps, nous ne sommes rassis[7].
     Puis ça puis la, comme le vent varie,
     A son plaisir sans cesser nous charie,
     Plus becquetez d'oiseaulx que dez à coudre.
     Ne soiez donc de nostre confrarie ;
30   Mais priez Dieu que tous nous vueille absouldre !

     Envoi

     Prince Jesus, qui sur tous as maistrie,
     Garde qu'Enfer n'ait de nous seigneurie :
     A luy n'avons que faire ne que souldre[8].
     Hommes, icy n'a point de moquerie,
35   Mais priez Dieu que tous nous vueille absouldre !

François Villon.

---

1. Depuis longtemps. - 2. Si nous vous appelons frères. - 3. Etabli dans leur esprit. - 4. Trépassés. - 5. Que personne ne nous harcèle. - 6. Lessivés. - 7. Etablis. - 8. Nous n'avons pas à nous acquitter envers lui.

Une ballade est bâtie sur **trois strophes** disposées de la même manière et composées sur les mêmes rimes, assorties d'un **envoi** équivalant à une demi-strophe.

Toute ballade est constituée de **trois strophes carrées** (cf. p. 19), soit huit octosyllabes, par exemple dans la « Ballade des dames du temps jadis » de Villon, soit dix décasyllabes, par exemple dans « La ballade des pendus », soit, mais moins fréquemment, douze alexandrins.

L'**envoi** équivaut à une demi-strophe (soit quatre octosyllabes, soit cinq décasyllabes, soit six alexandrins). Il commence par les mots : « Dieu, « Prince, « Princesse, « Roi, « Père : il constitue une invocation.

Les trois strophes obéissent à un **schéma particulier de rimes**. L'envoi reprend le schéma de la deuxième moitié des strophes.

• Dans le cas de huit octosyllabes, le schéma de l'ensemble de la ballade est le suivant :

1re strophe : A B A B / B C B C
2e strophe : A B A B / B C B C
3e strophe : A B A B / B C B C
                           +
Envoi :   B C B C

• Dans le cas de dix décasyllabes, le schéma est le suivant :

1re strophe : A B A B B / C C D C D
2e strophe : A B A B B / C C D C D
3e strophe : A B A B B / C C D C D
                           +
Envoi :   C C D C D

Chaque strophe ainsi que l'envoi se terminent par le même **vers refrain**.

La ballade peut être porteuse d'un sens profond ou bien être badine ou satirique.

3. Le pantoum

Le **pantoum** est récent en français. C'est à l'origine une chanson de Malaisie (fédération de l'Asie du sud-est). L'idée en fut suggérée par la traduction en prose d'un pantoum ou chant malais que Victor Hugo donna dans ses notes des *Orientales*, en 1829. Théophile Gautier fit de cette traduction une imitation en vers, et c'est Leconte de Lisle qui assigna au pantoum une place privilégiée dans ses *Poèmes tragiques*. Le pantoum le plus célèbre de la littérature française est toutefois celui de Baudelaire.

> Voici venir les temps où vibrant sur sa tige
> Chaque fleur s'évapore ainsi qu'un encensoir ;
> Les sons et les parfums tournent dans l'air du soir ;
> Valse mélancolique et langoureux vertige !
>
> 5   Chaque fleur s'évapore ainsi qu'un encensoir ;
> Le violon frémit comme un cœur qu'on afflige ;
> Valse mélancolique et langoureux vertige !
> Le ciel est triste et beau comme un grand reposoir.
>
> Le violon frémit comme un cœur qu'on afflige,
> 10 Un cœur tendre, qui hait le néant vaste et noir !
> Le ciel est triste et beau comme un grand reposoir ;
> Le soleil s'est noyé dans son sang qui se fige...
>
> Un cœur tendre, qui hait le néant vaste et noir,
> Du passé lumineux recueille tout vestige !
> 15 Le soleil s'est noyé dans son sang qui se fige...
> Ton souvenir en moi luit comme un ostensoir !

Charles Baudelaire, Les fleurs du mal, « Harmonie du soir ».

• Le pantoum est composé de **quatrains** construits de telle sorte que **le deuxième et le quatrième vers de chaque strophe forment le premier et le troisième vers de la strophe suivante.**
Parfois le **premier vers** du poème **revient** à la fin comme **dernier vers**.

• Il est écrit sur deux rimes (*-ige* et *oir* dans le texte ci-dessus) ; il présente une suite de quatrains soit à **rimes croisées en alternance** :

    A B A B / B A B A / A B A B / B A B A

soit à **rimes embrassées en alternance** :

    A B B A / B A A B / A B B A / B A A B

• Il peut être écrit en mètres variés (les plus fréquents sont les alexandrins et les décasyllabes), mais le même vers est conservé dans tout le poème.

La particularité vraiment originale du pantoum réside dans le sens : il développe dans chaque strophe, tout au long du poème, deux idées différentes, l'une contenue dans les deux premiers vers de chaque strophe et l'autre dans les deux derniers. Généralement la première idée est plutôt extérieure et pittoresque, l'autre intime et morale. Toutefois cette originalité n'apparaît pas véritablement dans le pantoum de Baudelaire que nous venons de citer.

Exercices

[Corrigé p. 77]

1. Complétez les quatrains de ce sonnet régulier en respectant le schéma des rimes :

Sois sage, ô ma Douleur, et tiens-toi plus tranquille.
Tu réclamais le Soir ; il descend ; le voici :
Une atmosphère obscure enveloppe la . . . . . . ,
Aux uns portant la paix, aux autres le . . . . . .

5   Pendant que des mortels la multitude . . . . . . ,
Sous le fouet du Plaisir, ce bourreau sans . . . . . . ,
Va cueillir des remords dans la fête . . . . . . ,
Ma Douleur, donne-moi la main ; viens par . . . . . . , [. . .]

Charles Baudelaire, « Recueillement ».

2. Trouvez l'irrégularité des rimes dans ce sonnet, et cherchez-en la valeur :

Comme on voit sur la branche, au mois de mai, la rose,
En sa belle jeunesse, en sa première fleur,
Rendre le ciel jaloux de sa vive couleur,
Quand l'aube, de ses pleurs, au point du jour l'arrose ;

La Grâce dans sa feuille, et l'Amour se repose,
Embaumant les jardins et les arbres d'odeur ;
Mais, battue ou de pluie ou d'excessive ardeur,
Languissante, elle meurt, feuille à feuille déclose ;

Ainsi, en ta première et jeune nouveauté,
Quand la terre et le ciel honoraient ta beauté,
La Parque t'a tuée, et cendre tu reposes.

Pour obsèques reçois mes larmes et mes pleurs,
Ce vase plein de lait, ce panier plein de fleurs,
Afin que, vif et mort, ton corps ne soit que roses.

Pierre de Ronsard, Amours de Marie, II, 4.

3. *Reconstituez le pantoum suivant de Leconte de Lisle :*
« Après la razzia » construit en rimes croisées :

Vers le camp, les vainqueurs ramènent leur butin,
Les hommes fatigués avancent en silence...
Je pense à mon amour, merveilleux, ... ,
Tandis que le soleil brûle en sa . . . .

. . . .
Les chameaux asservis subissent leur . . . .

. . . .
Je songe à Leïlah, pour mon cœur un . . . . . . !

. . . .
Le chef, au rythme lent, médite et se . . . .

. . . . ;
Des gardes, je devrai tromper la . . . . . . !

. . . .
Devant les murs lépreux, restes d'un vieux . . . .

. . . . ,
Mon esprit est troublé d'un désir . . . .

. . . .
La caravane passe en sa molle . . . .

. . . . ;
Mon corps las lutte en vain contre la . . . .

. . . .
Espérant l'oasis, la fraîcheur du . . . . . . ,

. . . . :
Vers le camp, les vainqueurs ramènent leur . . . .

10 Formes libres

1. Le poème en prose

L'utilisation très courante de l'expression « poème en prose » masque l'extrême difficulté de définir ce genre hybride, apparu au XIXe siècle, qu'est le poème en prose. Il convient tout d'abord de distinguer le **poème en prose** de la **prose poétique**, chère à Rousseau ou à Chateaubriand.

Bien que la prose poétique emprunte au vers un certain nombre d'éléments, en particulier pour le rythme, elle respecte néanmoins l'ordre et la continuité logique de la prose. Voici un exemple de rythme ternaire (3 éléments) dans ce passage en prose poétique : la description du Mississippi, au début d'*Atala* :

Suspendus sur le cours des eaux (1), groupés sur les rochers et sur les montagnes (2), dispersés dans les vallées (3), des arbres de toutes les formes (1), de toutes les couleurs (2), de tous les parfums (3), se mêlent (1), croissent ensemble (2), montent dans les airs à des hau-
5 teurs qui fatiguent les regards.

Chateaubriand.

Le poème en prose, au contraire, récuse l'ordre et la continuité logique, ceci de deux manières distinctes :

— soit par une structure forte qui enferme le texte, l'isole, le clôt sur lui-même. Chaque poème en prose peut donc se lire d'une manière tout à fait indépendante de l'ensemble. Ce principe est établi par Baudelaire dans la dédicace à Arsène Houssaye pour *Vingt petits poèmes en prose* (1862) :

> Nous pouvons couper où nous voulons, moi ma rêverie, vous
> le manuscrit, le lecteur sa lecture ; car je ne suspends pas la
> volonté rétive de celui-ci au fil interminable d'une intrigue super-
> flue. Enlevez une vertèbre [c'est-à-dire un poème], et les deux
> 5   morceaux de cette tortueuse fantaisie se rejoindront sans peine.

— soit par une tendance « anarchique » qui libère le
poème de toute obéissance à la logique.

Forme poétique qui refuse le vers et-qui échappe à la
prose, le poème en prose est un genre mixte qui emprunte
à la fois :

- **à la prose :**
    - absence de règles rythmiques
    - absence de rimes ;

- **à la poésie :**
    - sujet poétique par son contenu (ex. : amour, mort,
      fuite du temps)
    - brièveté et unité du texte
    - répétition de mots
    - allitérations et assonances
    - images
    - vers blancs (phrase ou portion de phrase dont le
      décompte syllabique correspond à un vers).

Parmi les grands producteurs de poèmes en prose, on peut
citer : Aloysius Bertrand : *Gaspard de la nuit* (1842) ;
Baudelaire : *Le spleen de Paris* (1862) ; Lautréamont : *Les
chants de Maldoror* (1869) ; Rimbaud : *Illuminations*
(1874) ; Mallarmé : *Poèmes en prose* (1891) ; Francis
Ponge : *Le parti pris des choses* (1942).
Voici, par exemple, un poème en prose de Baudelaire,
extrait du *Spleen de Paris* :

Enivrez-vous

> Il faut être toujours ivre. Tout est là : c'est l'unique question.
> Pour ne pas sentir l'horrible fardeau du Temps qui brise vos
> épaules et vous penche vers la terre, il faut vous enivrer sans
> trêve.
> 5   Mais de quoi ? De vin, de poésie ou de vertu, à votre guise.
> Mais enivrez-vous.
> Et si quelquefois, sur les marches d'un palais, sur l'herbe verte

d'un fossé, dans la solitude morne de votre chambre, vous vous
réveillez, l'ivresse déjà diminuée ou disparue, demandez au vent,
10   à la vague, à l'étoile, à l'oiseau, à l'horloge, à tout ce qui fuit,
à tout ce qui gémit, à tout ce qui roule, à tout ce qui chante,
à tout ce qui parle, demandez quelle heure il est ; et le vent,
la vague, l'étoile, l'oiseau, l'horloge, vous répondront : « Il est
l'heure de s'enivrer ! Pour n'être pas les esclaves martyrisés
15   du Temps, enivrez-vous ; enivrez-vous sans cesse ! De vin, de
poésie ou de vertu, à votre guise. »

2. Le vers libre

Né de la crise de l'alexandrin à la fin du XIXe siècle, le
vers libre est un phénomène propre à la poésie moderne.
Récusant les règles traditionnelles de la versification
(absence d'un nombre fixe de syllabes, absence de coupes régulières), il se reconnaît néanmoins à certains
critères.

• Un rythme :
Le vers libre établit **un accord entre le vers et la syntaxe**,
d'où une pause forte en fin de vers et pas d'enjambement
sur plus de deux vers.

> Dans la nuit il y a naturellement les sept merveilles du monde
> [et la grandeur
> et le tragique et le charme.

Robert Desnos, Corps et biens.

Il se dispense parfois de ponctuation :

> Aujourd'hui tu marches dans Paris les femmes sont
> ensanglantées
> c'était et je voudrais ne pas m'en souvenir c'était
> au déclin de la beauté

Guillaume Apollinaire, Alcools.

La **disposition typographique** joue un grand rôle :

> Boire
> un grand bol de sommeil noir
> jusqu'à la dernière goutte

Paul Éluard.

« Boire », suspendu seul sur une ligne, impose à la lecture une sorte d'attente puis de saut jusqu'au vers suivant.

Les répétitions et reprises de groupes rythmiques sont une façon d'accentuer :

> Ils sont appuyés
> Ils sont appuyés contre le ciel
> Ils sont une centaine appuyés contre le ciel
> Avec toute la vie derrière eux

> René-Guy Cadou.

• Une musique :

Composée en majeure partie d'**assonnances** et d'**allitérations.**
La rime est souvent absente mais reste possible.
Soit les deux vers suivants extraits d'un poème en vers libres :

> Toi ma patiente ma patience ma parente
> Gorge haut suspendue orgue de la nuit lente

> Paul Éluard.

• Une force des mots :

Comme l'unité traditionnelle du vers est détruite, c'est le mot qui devient une unité.
Dans le *Blason des fleurs et des fruits*, Éluard énumère une suite de mots précieux unis seulement par un lien sonore et imagé :

> Pomme pleine de frondaisons
> perle morte au Temps du désir
> capucine rideau de sable
> bergamote berceau de miel

Les mots grammaticaux, les liaisons sont alors soit supprimés, soit isolés, dissociés du reste :

> Ni
> le marin ni
> le poisson qu'un autre poisson à manger
> entraîne, mais la chose même et tout le tonneau et la veine vive.

> Paul Claudel.

3. Le verset

Les vers libres, nous l'avons dit, peuvent être de différentes longueurs, certains inférieurs à l'alexandrin et même très courts (3 ou 4 syllabes) ; d'autres supérieurs à l'alexandrin et atteignant la dimension de petits paragraphes : on les appelle alors des **versets**[1].

> Dressez, dressez à bout de caps, les catafalques des
> Habsbourg, les hauts bûchers de l'homme de
> guerre, les hauts ruchers de l'imposture.
> Vannez, vannez, à bout de caps, les grands ossuaires
> de l'autre guerre, les grands ossuaires de
> l'homme blanc sur qui l'enfance fut fondée.
>
> Saint-John Perse.

Parmi les poètes qui ont pratiqué la technique des versets, on peut citer Claudel, Péguy et Saint-John Perse.

4. Le calligramme

Le **calligramme** (du grec *kallos* : beau et *gramma* : la lettre) appartient à la poésie graphique. C'est un **jeu** sur la répartition des mots et des vers à l'intérieur de la page : le poème se dessine lui-même graphiquement.
La **signification** du calligramme est donc **double**, à la fois **littérale** (les mots) et **picturale** (le dessin) (cf. p. 68).
Ce jeu poétique a d'ailleurs des antécédents très anciens. Le poète grec Théocrite (IIIe siècle avant J.-C.) a composé un poème sur la syrinx, flûte de Pan dont les vers d'inégale longueur évoquent la forme de cet instrument de musique. Au XVIe siècle, Rabelais y a eu recours également pour narguer l'oracle de la « Dive Bouteille » dans son *Cinquième livre*. Les strophes irrégulières des « Djinns » de Victor Hugo dans *Les Orientales* (1829) (cf. p. 22), avec leurs vers de longueur croissante puis décroissante, représentent visuellement l'arrivée des « Djinns », leur passage et leur progressive disparition.

---

1. Jean Mazaleyrat, dans *Éléments de métrique française*, Éd. A. Colin, coll. U 2, 1981, donne la définition suivante du verset : « Toute unité de discours poétique délimitée par l'alinéa et que son étendue empêche d'être globalement perceptible comme vers. »

Exercices

[Corrigé p. 78]

1. Après avoir lu ce poème d'Aloysius Bertrand, répondez aux questions qui vont suivre :

Il était nuit. Ce furent d'abord, — ainsi j'ai vu, ainsi je raconte, — une abbaye aux murailles lézardées par la lune, — une forêt percée de sentiers tortueux, — et le Morimont[1] grouillant de capes et de chapeaux.

5 Ce furent ensuite, — ainsi j'ai entendu, ainsi je raconte, — le glas funèbre d'une cloche auquel répondaient les sanglots funèbres d'une cellule, — des cris plaintifs et des rires féroces dont frissonnait chaque feuille le long d'une ramée, — et les prières bourdonnantes des pénitents noirs qui accompagnaient un crimi-
10 nel au supplice.

1. C'est à Dijon, de temps immémorial, la place aux exécutions (Note du poète).

Ce furent enfin, — ainsi s'acheva le rêve, ainsi je raconte, — un moine qui expirait couché dans la cendre des agonisants, — une jeune fille qui se débattait pendue aux branches d'un chêne. — Et moi que le bourreau liait échevelé sur les rayons de la roue.

15 Dom Augustin, le prieur défunt, aura, en habit de cordelier, les honneurs de la chapelle ardente, et Marguerite, que son amant a tuée, sera ensevelie dans sa blanche robe blanche d'innocence, entre quatre cierges de cire.

Mais moi, la barre du bourreau s'était, au premier coup, brisée
20 comme un verre, les torches des pénitents noirs s'étaient éteintes sous des torrents de pluie, la foule s'était écoulée avec les ruisseaux débordés et rapides, — et je poursuivais d'autres songes vers le réveil.

Aloysius Bertrand, Gaspard de la nuit, 1842, III, VII.

a. Dans ce poème, le poète suit un plan très rigoureux. Relevez les trois personnages essentiels.

b. Qui est, selon vous, le criminel ?

c. Relevez des systèmes de répétitions.

d. Avez-vous repéré des allitérations ?

2. Montrez en quoi les extraits suivants relèvent de la poésie en vers libres :

Galopez dans les pommiers blancs du vert pays
Bêtes d'amour, bêtes de feu, bêtes de fer.

Ruez-vous dans les pommiers nus du pays vert
Bêtes de sang, bêtes d'esprit, bêtes d'honneur.

Pierre-Jean Jouve, « Tapisserie des pommiers ».

Adieu Adieu
Soleil cou coupé

Guillaume Apollinaire, Alcools.

Que j'entende seulement dans le clair de lune une voix de femme éclatante,
Puissante et grave, persuasive et suave,
Avec la mienne en même temps en silence qui la
5 devance et qui invente
Et tout bas lui donne l'octave.

Paul Claudel.

... Toujours il y eut cette clameur, toujours il y eut cette grandeur,

Cette chose errante par le monde, cette haute transe par le monde et sur toutes les grèves de ce monde, du même souffle proférée, la même vague proférant.

Une seule et longue phrase sans césure à jamais inintelligible...

Saint-John Perse, *Exil.*

```
                    DANS

            FLETS         CE

        RE                    MI

      LES                     ROIR

      SONT                    JE

      ME                      SUIS

      COM     Guillaume      EN

      NON                    CLOS

      ET    Apollinaire      VI

      GES                    VANT

      AN                     ET

        LES                  VRAI

          NE              COM

            GI          ME

              MA      ON

                    I
```

Guillaume Apollinaire, « Composition en forme de miroir ».

3. Quel est le lien entre le sens des mots et le dessin ?

Corrections des exercices

Ch. 1 : Savoir compter les syllabes dans un vers

1. Les ajoncs éclatants, parure du granit,
   Dorent l'âpre sommet que le couchant allume.
   Au loin, brillant encor par sa barre d'écume,
   La mer sans fin commence où la terre finit.

   A mes pieds, c'est la nuit, le silence. Le nid
   Se tait, l'homme est rentré sous le chaume qui fume.
   Seul, l'Angélus du soir, ébranlé dans la brume,
   A la vaste rumeur de l'Océan s'unit.

2. Il / fe/ra / long/temps / clair / ce / soir/, les / jour/s a/llongent.
                                         1
   La / ru/meur / du / jour / vif / se / dis/per/se et / s'en/fuit,
                                                      1
   Et / le/s ar/bres/, sur/pris / de / ne / pas / voir / la / nuit,
                                    1   1
   De/meu/ren/t é/vei/llés / dans / le / soir / blanc / et / songent.
                                      1

3. Et / puis / vien/dra / l'hi/ve/r o/sseux,
        1   1
   Le / mai/gre hi/ve/r ex/pi/a/toire,
                          1
   Où / les / gens / sont / plus / mal/chan/ceux
   Que / le/s â/me/s en / pur/ga/toire.

4. Leconte de Lisle, « Midi ».

   L'étendue est immense, et les champs n'ont point d'ombre,
   Et la source est tarie où buvaient les troupeaux,
   La lointaine forêt, dont la lisière est sombre,
   Dort, là-bas, immobile, en un pesant repos.

Ch. 2 : Les différents vers français

1. Prévert

1	= quadrisyllabe	6		
2		7		= quadrisyllabe
3	= pentasyllabe	8		
4		9	= trisyllabe	
5	= hexasyllabe	10	= quadrisyllabe	
		11	= dissyllabe	

Desnos

1	= hexasyllabe	3	= ennéasyllabe
2	= alexandrin	4	= 16 syllabes

2. 1re strophe : v. 4 = hexasyllabe : effet de chute.
2e strophe : effet de balancement :
v. 1 et 3 = alexandrins - v. 2 et 4 = hexasyllabes.
3e strophe : entièrement écrite en vers courts (rapprocher la poésie de la chanson) : v. 3 = dissyllabe ; effet de surprise.

Ch. 3 : Les différents types de strophes

a. 15 strophes

b. 8 vers par strophes : des huitains

c. Strophes 1 et 15 : 2 syllabes par vers : dissyllabes
2 et 14 : 3 : trisyllabes
3 et 13 : 4 : quadrisyllabes
4 et 12 : 5 : pentasyllabes
5 et 11 : 6 : hexasyllabes
6 et 10 : 7 : heptasyllabes
7 et 9 : 8 : octosyllabes
8 10 : décasyllabes

d. Strophes isométriques : vers d'égale longueur à l'intérieur de chaque strophe.

e.

1-2-3-4-5-6	7	8	9
strophes verticales	strophe carrée	strophe horizontale	strophe carrée

10-11-12-13-14-15
strophes verticales

f. Il y a donc une symétrie dans l'organisation géométrique du poème, centrée sur l'axe de la huitième strophe, qui traduit l'arrivée, le passage et le départ des « Djinns ».

Ch. 4 : La musique des rimes

1. a. AABCBC

   b. Deux rimes plates et deux rimes croisées.

   c. Aucune homographie : ce sont donc simplement des « rimes pour l'oreille ».

   d. A - rime pauvre   B - rime suffisante
       C - rime pauvre.

   e. A : deux noms : facilité
       B et C : un nom et un adjectif.

2. - La chanson s'y lance.
   - Danse, aime, bleu laquais, ris d'oser des mots roses.

Ch. 5 : La musique des sonorités

> Un frais parfum sortait des touffes d'asphodèles ;
>
> Les souffles de la nuit flottaient sur Galgala.

2 allitérations en **f** et en **l**
3 assonances en **è, a, ou.**

> Les faux beaux jours ont lui tout le jour, ma pauvre âme,
>
> Et les voici briller aux cuivres du couchant.

1 allitération en **l**
3 assonances en **o, ou, i.**

> Comme un vol de gerfauts hors du charnier natal.

1 allitération en **r**
2 assonances en **o, a.**

Ch. 6 : La musique du rythme

1. Le soleil/, par degrés//, de la brume émergeant,
Dore la vieille tour // et le haut / des mâtures ;
Et/, jetant son filet // sur les vagues obscures,
Fait scintiller / la mer // dans ses mai/lles d'argent.

2. Ce toit tranqui//lle, où marchent des colombes,
    4   6
Entre les pins / palpi/te, entre les tombes ;
    4   2 /   4
Midi le jus//te y compose de feux
    4   6
La mer/, la mer//, toujours recommencée !
    2 /   2   6
O récompen//se après une pensée,
    4   6
Qu'un long regard // sur le calme des dieux !
        4   6

3. L'ombre des tours / faisait la nuit / dans la campagne.
        4   /   4   /   = trimètre   4
Je le vis/, je rougis//, je pâlis / à sa vue.
    3 /   3   3   / 3   = tétramètre
Une nuit claire/, un vent glacé. / La neige est rouge.
    4   /   4   / = trimètre   4
Toujours aimer/, toujours souffrir/, toujours mourir.
    4   /   4   / = trimètre   4
Je voulais / en mourant // prendre soin / de ma gloire.
    3   /   3   3   / 3   = tétramètre
Et l'espoir/, malgré moi//, s'est glissé / dans mon cœur.
    3   /   3   3   / 3   = tétramètre

4.   **L'Horloge**

Horloge ! [dieu sinistre, effrayant, impassible,
Dont le doigt nous menace et nous dit : « Souviens-toi ! »]
[Les vibrantes Douleurs dans ton cœur plein d'effroi
Se planteront bientôt comme dans une cible ;]

5   [Le Plaisir vaporeux fuira vers l'horizon
Ainsi qu'une sylphide au fond de la coulisse ;]
Chaque instant te dévore [un morceau du délice
A chaque homme accordé pour toute sa saison.]

[Trois mille six cents fois //par heure,] [la Seconde
10 Chuchote] : Souviens-toi ! — [Rapide, avec sa voix
D'insecte,] [Maintenant // dit] : Je suis Autrefois,
Et j'ai pompé ta vie avec ma trompe immonde !

Ces phénomènes d'enjambement sont utilisés pour des effets divers :

— donner l'impression de la fuite irrémédiable du temps : enjambements externes : v. 1 et 2, v. 3 et 4, v. 5 et 6, v. 7 et 8 ;

— mettre en relief certains mots :
enjambements externes : v. 10 : Chuchote
v. 11 : D'insecte
enjambement interne : v. 11 : Maintenant

— créer une harmonie imitative :
enjambement interne : v. 9 : les monosyllabes traduisent le martèlement des secondes.

Ch. 7 : La poésie des images

1. Comparaisons :
— virago sèche <u>comme</u> une merluche ;
— marmot pleureur qui toujours se brimbale à la ceinture de sa mère <u>comme</u> un petit enfant pendu au croc d'une ogresse.

Métaphores :
— Le pouce est ce gras cabaretier... qui fume sur sa porte.
— L'index est sa femme ... qui ... soufflette sa servante.
— Et le doigt de l'oreille est le Benjamin de la famille.

2. Hugo : comparaison
Francis Jammes : comparaison
Ramuz : comparaison
Jules Renard : métaphore
Hugo : métaphore filée.

Éléments comparés		Outil comparatif
Mes deux filles	/ cygne	pareille à
	/ colombe	
bonheur	/ eau bleue	comme
maison	/ île	
vieilles maisons	/ grand-mères	comme
puce	/ grain de tabac	
Dieu	/ moissonneur de l'éternel été	
(lune)	/ cette faucille d'or	
(ciel)	/ champ des étoiles.	

3. Le <u>corps</u> d'une armée

   Acheter <u>un Goya</u> = un tableau de Goya

   <u>Une tête</u> d'épingle

   <u>Une âme</u> généreuse = une personne généreuse

   <u>Une voile</u> à l'horizon = un vaisseau

   <u>Les ailes</u> d'un moulin à vent

   Porter un <u>cachemire</u> = un pull en cachemire.

Ch. 8 : La poésie des mots

1. douce-ride-délier-sûre-nier-troupe-poule-crâne-saper-ramure-riche-valise-humer-sources.

2. Racine   épis   vérité.

3. François Rabelais (XVIe siècle).

4. Esope reste i¢i et se repose.

5. « Trahissant la vertu sur un <u>papier coupable</u> »

   « Elle <u>se hâte avec lenteur</u> »

   Qui <u>se ressemble s'assemble</u>

   « Où tant de <u>marbre</u> est <u>tremblant</u> sur tant d'ombre. »

6. Adoliquescence = adolescence + déliquescence

   Diablogue = dialogue + diable

7. Sonorités : « Tous les cœurs il dé<u>vaste</u> mais il se doit d'être <u>chaste</u> et son juron est <u>Baste</u> ! »

   « Puis du chef de son corps (gy)pris dans la corde à nœuds (mn). »

   « Il choit parfois (as)... mais rebondit(te). »

   Images : G « Le gymnaste porte le bouc et la moustache que rejoint presque une grosse mèche en accroche-cœur sur un front bas. »

   Y « Moulé dans un maillot qui fait deux plis sur l'aine il porte aussi... la queue à gauche. »

Ch. 9 : Formes fixes

1. ville
   souci
   vile
   merci
   servile
   ici

2. A B B A / A B B A // C C A / B B A
   → sonnet construit sur 3 rimes : A-B-C
   — 6 fois la rime A, féminine en « ose »
   — un triple effet d'encadrement

   ┌─ rose v. 1
   │ ┌─ fleur v. 2
   │ │ ┌─ repose v. 5
   │ │ └─ reposes v. 11
   │ └─ fleurs v. 13
   └─ roses v. 14

   → volonté d'atténuer la violence,
   d'exorciser l'horreur de la mort.

3.   Après la razzia

   Vers le camp, les vainqueurs ramènent leur butin,
   Les hommes fatigués avancent en silence...
   Je pense à mon amour, merveilleux, clandestin,
   Tandis que le soleil brûle en sa rutilance.

5 Les hommes fatigués avancent en silence,
   Les chameaux asservis subissent leur destin.
   Tandis que le soleil brûle en sa rutilance
   Je songe à Léïlah, pour mon cœur un festin !

   Les chameaux asservis subissent leur destin.
10 Le chef, au rythme lent, médite et se balance...
   Je songe à Léïlah, pour mon cœur un festin ;
   Des gardes, je devrai tromper la vigilance !

   Le chef, au rythme lent, médite et se balance,
   Devant les murs lépreux, restes d'un vieux fortin.
15 Des gardes, je devrai tromper la vigilance.
   Mon esprit est troublé d'un désir libertin...

   Devant les murs lépreux, restes d'un vieux fortin,
   La caravane passe en sa molle indolence.

Mon esprit est troublé d'un désir libertin ;
20 Mon corps las lutte en vain contre la somnolence.

La caravane passe en sa molle indolence.
Espérant l'oasis, la fraîcheur du matin,
Mon corps las lutte en vain contre la somnolence :
Vers le camp, les vainqueurs ramènent leur butin.

Ch. 10 : Formes libres

1. **a.** le prieur, une jeune fille, moi (le poète)
   b. moi (le poète)
   c. — ce furent d'abord, ce furent ensuite, ce furent enfin.
      — ainsi j'ai vu, ainsi je raconte, ainsi j'ai entendu, ainsi je raconte, ainsi s'acheva le rêve, ainsi je raconte .
      — un moine-une jeune fille-Et moi-le prieur, Marguerite, Mais moi.
   d. des rires féroces dont frissonnait chaque feuille
      le bourreau liait échevelé sur les rayons de la roue

2. **P.-J. Jouve :** pas de césure ⟩
      pas de rime ⟩ mais des alexandrins

   Apollinaire : vers irréguliers ⟩
      pas de rime ⟩ mais des vers courts
      pas de ponctuation ⟩

   Claudel : vers irréguliers et longs
      → des versets
      mais │ rime maintenue
          │ disposition typographique

   Saint-John Perse : vers irréguliers et longs
      → des versets
      mais │ rime
          │ (clameur/grandeur)
          │ répétitions de mots
          │ symétries de construction
          │ disposition typographique

3. A l'intérieur du miroir, se reflète non le portrait dessiné du poète mais l'écriture non inversée de son prénom et de son nom, seul portrait vrai.

Index des notions

Achevé d'imprimer par EMD S.A.S. à Lassay-les-Châteaux - France
N° d'impression : 26012 - Dépôt légal : 71418 - 4/12 - Janvier 2012